Институт Археологии Академии наук
УзССР
Государственный музей искусств
народов Востока
Институт искусствознания ум. Хамзы
Министерства культуры УзССР

Institute of Archeology of the UzSSR
Academy of Sciences
State Art Museum of the Peoples of East
Khamza Institute of Art Research
of the UzSSR Ministry of Culture

КУЛЬТУРА И ИСКУССТВО ДРЕВНЕГО

ДРЕВНЕГО

УЗБЕКИСТАНА

Каталог выставки

В двух книгах

Книга 1

МОСКВА · 1991

CULTURE AND ART OF ANCIENT UZBEKISTAN

Exhibition catalogue

In two volumes

Volume 1

MOSCOW · 1991

Р. Х. Сулейманов: Еркурган.
М. Р. Тихонин: Шахджувар.
М. И. Филанович: Бинкет.
Г. В. Шишкина: Афрасиаб (древний, раннесредневековый, средневековый), Варахша.

R. H. Suleimanov: Erkurgan.
M. R. Tikhonin: Shahjuvar.
M. I. Filanovich: Binket.
G. V. Shishkina: Afrasiab (ancient, early medieval, medieval), Varakhsha.

Авторы аннотаций к предметам:

К. А. Абдуллаев: 21, 22, 34–39, 44, 45, 67, 68, 73, 75–78, 83, 85, 89–91, 94, 111–113, 203, 204, 261, 287–298, 312–315, 363. 365, 369, 379, 384, 393–399, 428, 434, 441, 453, 454, 462–469, 488–492, 500, 501, 517, 517a, 540, 555, 556, 558, 568, 619, 623, 741, 747, 749, 750, 752, 755–757, 760–762.

Б. Абдулгазиева: 737–740.

Г. Алимов: 520.

Н. Алмазова: 7–20, 23–27, 31–33, 40–42.

Л. И. Альбаум: 119–122, 195, 246, 265, 266, 269, 372, 424, 425, 443–445, 456, 502, 503.

Н. Асавина: 238–241.

Н. И. Ахунбабаева: 301, 302, 484, 485, 487, 713–718, 722–724, 759, 763, 766.

И. Ю. Вишневская: 316–321, 460, 461, 514–516с, 545, 691–694.

М. Г. Воробьева: 322–331.

Л. А. Дударева: 146, 148–156, 164, 165, 366.

В. А. Заявьялов: 196, 197, 199, 202, 374, 377, 378, 380–383, 385–392.

Д. Г. Зильпер: 457–459, 505–508, 706, 707, 719–721.

Г. Иванов: 303–305, 493–499.

Дж. Ильясов: 1–3, 66, 69–71, 74, 80, 84, 86, 147, 163, 183–187, 194, 362, 364, 367, 368, 373, 534, 535, 537, 546–554, 557.

Дж. Ильясов, Д. В. Русанов: 272–276.

С. Х. Ишанханов: 528.

Б. Д. Кочнев: 518, 519, 521–527, 529–533.

С. Б. Лунина: 702–705.

С. Б. Лунина, З. И. Усманова: 476.

Е. Лушникова: 87, 88, 247, 248, 257, 258, 264.

Ю. П. Манылов: 278–286.

В. Миносянц: 4–6, 28–30, 43, 46, 47, 97–99, 251, 252, 370, 371, 446, 448, 504, 708–712, 729–736, 748, 772, 775, 779, 780.

Т. К. Мкртычев: 72, 79, 81, 82, 92, 93, 95, 96, 100–110, 114–118, 167, 188–190, 198, 200, 201, 361, 534, 536, 538, 539, 541–544, 695–701, 776–778.

Т. К. Мкртычев, Б. А. Тургунов: 166–182, 191–193.

М. Моргенштерн: 254–256, 262, 562, 563, 567, 622.

А. Мусакаева: 48, 49, 57, 58.

С. У. Назарова: 157–162.

Authors of annotations:

K. A. Abdullaev: 21, 22, 34–39, 44, 45, 67, 68, 73, 75–78, 83, 85, 89–91, 94, 111–113, 203, 204, 261, 287–298, 312–315, 363, 365, 369, 379, 384, 393–399, 428, 434, 441, 453, 454, 462–469, 488–492, 500, 501, 517, 517a, 540, 555, 556, 558, 619, 623, 741, 747, 749, 750, 752, 755–757, 760–762.

B. Abdulgazieva: 737–740.

G. Alimov: 520.

N. Almazova: 7–20, 23–27, 31–33, 40–42.

L. I. Albaum: 119–122, 195, 246, 265, 266, 269, 372, 424, 425, 443–445, 456, 502, 503.

N. Asavina: 238–241.

N. I. Akhunbabaeva: 301, 302, 484, 485, 487, 713–718, 722–724, 759, 763, 766.

I. U. Vishnevskaya: 316–321, 460, 461, 514–516с, 545, 691–694.

M. G. Vorobieva: 322–331.

L. A. Dudareva: 146, 148–156, 164, 165, 366.

V. A. Zavialov: 196, 197, 199, 202, 374, 377, 378, 380–383, 385–392.

D. G. Zilper: 457–459, 505–508, 706, 707, 719–721.

G. Ivanov: 303–305, 493–499.

J. Ilyasov: 1–3, 66, 69–71, 74, 80, 84, 86, 147, 163, 183–187, 194, 362, 364, 367, 368, 373, 534, 535, 537, 546–554, 557.

J. Ilyasov, D. V. Rusanov: 272–276.

S. Kh. Ishankhanov: 528.

B. D. Kochnev: 518, 519, 521–527, 529–533.

S. B. Lunina: 702–705.

S. B. Lunina, Z. I. Usmanova: 476.

E. Lushnikova: 87, 88, 247, 248, 257, 258, 264.

U. P. Manylov: 278–286.

V. Minosiants: 4–6, 28–30, 43, 46, 47, 97–99, 251, 252, 370, 371, 446, 448, 504, 708–712, 729–736, 748, 772, 775, 779, 780.

T. K. Mkrtychev: 72, 79, 81, 82, 92, 93, 95, 96, 100–110, 114–118, 167, 188–190, 198, 200, 201, 361, 534, 536, 538, 539, 541–544, 695–701, 776–778.

T. K. Mkrtychev, B. A. Turgunov: 166–182, 191–193.

M. Morgenstern: 254–256, 262, 562, 563, 567, 622.

A. Musakaeva: 48, 49, 57, 58.

S. U. Nazarova: 157–162.

6

А. И. Наймарк: 205–237, 242–245, 306–311, 400–417, 418–421, 470–472, 509–513.

Л. Павчинская: 259, 260, 263, 267, 268, 270, 271, 375, 376, 422, 423, 426, 427, 429–431, 435–440, 442, 452, 455, 473–475, 483, 559–561, 601–618, 620, 621, 624–690, 751, 753, 754, 758, 767–771, 773, 774.

Ю. А. Рапопорт: 332–353.

Э. В. Ртвеладзе: 50–56, 58–64, 299, 300, 354–360, 477–482.

Д. В. Русанов: 249, 250, 277, 486.

С. Савчук: 123–145.

М. Р. Тихонин: 725–728.

М. Х. Урманова: 65, 253, 432, 433, 447, 449, 450.

С. Циплакова: 564–566, 569–600.

Г. В. Шишкина: 767.

A. I. Naimark: 205–237, 242–245, 306–311, 400–417, 418–421, 470–472, 509–513.

L. Pavchinskaya: 259, 260, 263, 267, 268, 270, 271, 375, 376, 422, 423, 426, 427, 429–431, 435–440, 442, 452, 455, 473–475, 483, 559–561, 601–618, 620, 621, 624–690, 751, 753, 754, 758, 767–771, 773, 774.

U. A. Rapoport: 332–353.

E. V. Rtveladze: 50–56, 58–64, 299, 300, 354–360, 477–482.

D. V. Rusanov: 249, 250, 277, 486.

S. Savchuk: 123–145.

M. R. Tikhonin: 725–728.

M. H. Urmanova: 65, 253, 432, 433, 447, 449, 450.

S. Tsiplakova: 564–566, 569–600.

G. V. Shishkina: 767.

ПРЕДИСЛОВИЕ

Почти на протяжении столетия накапливался материал, часть которого составляет основу настоящей выставки. Все эти предметы материальной культуры и искусства получены в результате археологических работ, поначалу проводившихся на дилетантском уровне, а затем экспедициями, оснащенными научной методикой ведения раскопок.

Памятники эпохи камня и бронзы начали основательно изучаться сравнительно недавно, лишь с 50-х годов по инициативе академика Я. Г. Гулямова, продолженной его учениками А. А. Аскаровым, У. И. Исламовым, Р. Х. Сулеймановым. Большую научную значимость обрели исследования крупных населенных пунктов эпохи бронзы — Сапаллитепа и Джаркутана под руководством академика А. А. Аскарова.

Среди экспедиций, сыгравших большую роль в понимании значения Средней Азии в культурном наследии Востока, нельзя не упомянуть: возглавленные М. Е. Массоном — Айртамскую (1932–1933) и Термезскую (1936–1938), экспедицию по изучению Бухарского оазиса и царской резиденции на городище Варахша (с начала 30-х годов), руководителем которой был В. А. Шишкин, Хорезмскую археолого-этнографическую экспедицию (с 1938 года) во главе с С. П. Толстовым, а ныне — М. А. Итиной, экспедиции — сначала Узбекистанского филиала АН СССР, а затем — Академии наук УзССР.

С 60-х годов все больший размах приобретает многостороннее изучение городов. На одном из крупнейших городищ Средней Азии — Афрасиабе стационарные работы ведутся с 1958 года археологами АН УзССР, сначала возглавленные их организатором

В. А. Шишкиным, затем Я. Г. Гулямовым, Ш. С. Ташходжаевым, Г. В. Шишкиной (до 1984 года). В Ташкенте (средневековый Бинкет) развернулись работы на новостройках при активном участии Ю. Ф. Бурякова, Л. Л. Ртвеладзе, Д. Г. Зильпер, Л. Г. Брусенко, В. А. Булатовой, М. И. Филанович (руководитель экспедиции с 1973 года). Исследования городища Канка и других памятников Ташкентской области, в числе которых горный город Шахджувар, возглавляет Ю. Ф. Буряков. Работами Института археологии АН УзССР на городище одного из древнейших городов ферганской долины — Ахсикет руководит А. А. Анарбаев. В долине Кашкадарьи ведутся многолетние исследования того же института (С. К. Кабанов, Р. Х. Сулейманов) и кафедры археологии Ташкентского государственного университета (руководит работами С. Б. Лунина, сотрудники З. И. Усманова, Н. И. Крашенинникова, Г. Я. Дресвянская, Б. Д. Кочнев). Всесторонне изучается один из крупнейших городских центров долины — городище Еркурган (руководитель Р. Х. Сулейманов).

Исследуются могильники, оставленные этнически пестрым древним и средневековым населением долин и предгорий Узбекистана. Значительная группа курганов исследована Ю. П. Маныловым в округе города Навои.

Большой вклад в открытие памятников археологии и искусства Средней Азии и в их изучение внесла Узбекистанская искусствоведческая экспедиция Института искусствознания, исследовавшая Халчаян, Дальверзинтепа, Орлатский могильник, Айртам, Кампыртепа, Будрач и другие памятники (руководитель Г. А. Пугаченкова, ос-

8

новные участники Б. А. Тургунов и Э. В. Ртвеладзе).

Объекты, давшие науке образцы живописи, скульптуры, предметов прикладного искусства, изучаются Л. И. Альбаумом (Балалыктепа, Фаязтепа и другие), Б. Я. Стависким (Каратепа), Т. Аннаевым (Куевкурган). С участием ленинградских археологов под руководством В. А. Завьялова осуществляется изучение Зартепа.

Помимо этого постоянно ведутся археологические наблюдения на новостройках, а органами охраны памятников закладываются археологические шурфы при подлежащих реставрации архитектурных памятниках.

Весь многообразный материал, собранный усилиями исследователей, требует тщательной научной обработки и осмысления, результаты которого не всегда приводят к единому выводу. Поэтому нелишне упомянуть, что интерпретация рассматриваемых объектов и их датировка принадлежат авторам работ и пояснительных текстов.

PREFACE

It has taken almost a century to accumulate the materials, part of which are represented at this exhibition. All these objects of culture and art were found in the course of archeological excavations, first done by amateurs, and then—by professional expeditions on the basis of scientific methods.

Monuments of the Stone and the Bronze Ages began to be studied comparatively recently, in the 50ies, on the initiative of Academician Ya. G. Gulyamov. His work was continued by his pupils A. Askarov, U. I. Islamov, and R. H. Suleimanov. Of major scientific importance was the study of large settlements of the Bronze Age—Sapallitepa and Djarkutan, headed by Academician A. Askarov.

Among the expeditions that played a major role in revealing the importance of Central Asia in the cultural legacy of the Orient, were the ones to Airtam (1932–1933) and Termez (1936–1937) headed by M. E. Masson, to the Bukhara oasis and the royal residence in Varakhsha (since the early 30ies) headed by V. A. Shishkin, and the archeological and ethnographical expedition to Khorezm (since 1938), at first headed by S. P. Tolstov, and now—by M. A. Itina. The expeditions were arranged by the Uzbek branch of the USSR Academy of Sciences, and later on—by the Academy of Sciences of the Uzbek SSR.

The study of ancient city sites acquired a wider scale in the 60ies. Permanent excavations have been conducted in Afrasiab, one of the largest settlement sites in Central Asia, since 1958 by archeologists of the Academy of Sciences of the Uzbek SSR, first headed by their initiator V. A. Shishkin, and then by Ya. G. Gulyamov, Sh. S. Tashkhodjaev, and G. V. Shishkina (till 1984). In Tashkent (ancient Bikent) active excavations were organized on construction sites with the participation of

U. F. Buryakov, L. L. Rtveladze, D. G. Zilper, L. G. Brusenko, V. A. Bulatova, M. I. Filanovich (head of the expedition since 1973). U. F. Buryakov heads the studies of the Kana settlement site and other architectural monument, including a mountain city of Shakhjuvar, in the Tashkent region. A. A. Anarbaev heads the work of the Institute of Archeology under the Academy of Sciences of the Uzbek SSR on the site of one of the most ancient cities in the Ferghana Valley, Akhsiket. Staff members of the institute S. K. Kabanov and R. H. Suleimanov, and of the chair of archeology at the Tashkent State University S. B. Lunina (head of the expedition), Z. I. Usmanova, N. I. Krasheninnikova, G. Ya. Dresvyanskaya and B. Kochnev have conducted research work in the Kashkadarya river valley for many years. Archeologists headed by R. H. Suleimanov are thoroughly studying one of the largest ancient cities in that valley, Erkurgan.

Excavations are carried out on burial mounds left over by the ethnically mixed ancient and medieval population in the valleys and mountain foothills of Uzbekistan. Yu. P. Manylov has studied a considerable number of them near the city of Navoi.

A great number of monuments of archeology and art were discovered by the expedition of the Institute of Art Studies of Uzbekistan. It worked in Khalchayan and Dalverzintepa, on the Orlat burial mound, in Airtam, Kampyrtepa, Budrach and other places. It was headed by G. A. Pugachenkova and included B. A. Turgunov and E. V. Rtveladze.

Ancient cities and settlements that yielded wonderful specimens of painting, sculpture and objects of applied art, are studied by L. I. Albaum (Balalyktepa, Fayaztepa and other places), B. Ya. Stavisky (Karatepa) and T. Annaev (Kuyovkurgan). Archeologists from Leningrad headed by V. A. Zavyalov work in Zartepa.

Besides, permanent archeological observation is organized on construction sites, and the bodies responsible for the protection of ancient buildings drill exploring shafts in architectural monuments undergoing restoration.

The rich material collected by the effort of many researchers, requires a detailed scientific study and comprehension, and it is not always that researchers conclusions coincide. So, we feel it our duty to point out that the interpretation of the abovementioned works of art and the periods they date to, belongs to the authors of the explanatory texts.

ВВЕДЕНИЕ

Широко раскинулись просторы Узбекистана. Две могучие реки Средней Азии пересекают их – Сырдарья на севере и Амударья на юге. Разнообразна природа этого среднеазиатского междуречья – цветущие долины, адыры предгорий, бескрайние степи, сыпучие пески, множество саев, стекающих с гор, весной несущих бурные потоки и досуха иссыхающих летом. И везде издревле живет и работает человек, приспосабливая свою жизнь и свое хозяйство к особенностям облюбованного им места. В степях удобнее разводить скот, нежели заниматься землепашеством, требующим искусственного орошения. На адырах, где больше влаги, можно и сеять богарную пшеницу, и откармливать скот на тучных пастбищах. Долины же с глубокой древности освоили земледельцы, огромными усилиями многих поколений создавшие разветвленную сеть оросительных систем.

В сложных, не всегда мирных контактах многовекового общения земледельцев и скотоводов формировалась многогранная культура народов, населявших современный Узбекистан, их самобытное искусство.

Древнейшие произведения искусства, обнаруженные на земле Узбекистана, восходят к эпохе мезолита, когда на скалах Зараутсая первобытный художник красной охрой изобразил сцену охоты. В традициях первобытного реализма переданы животные и условно-схематичными треугольными фигурами – охотники. Время неолита помимо каменных орудий труда богато предметами быта, в числе которых – лепная керамика, уже на этой ранней стадии развития культуры орнаментированная ногтевыми наколами.

Эпоха бронзы, охватившая 2 – начало 1-го тысячелетия до н. э., в южных районах нынешнего Узбекистана ознаменована становлением протогородской цивилизации, которой присуща развитая для своего времени строительная техника, сложение приемов массовой и монументальной архитектуры, развитие бронзолитейного производства и гончарного дела.

Значительное число памятников культуры земледельческих племен эпохи бронзы исследовано на юге Узбекистана. То была самая древняя из известных сейчас в пределах республики культура умелых мастеров, тонких ювелиров и искусных строителей. Наиболее детальному исследованию здесь к настоящему времени подвергнуты поселения XVII–X веков до н. э. – Сапаллитепа и Джаркутан, археологические комплексы которых позволили проследить пути становления и развития протогородской цивилизации древневосточного типа, вступавшей в этнокультурные контакты с племенами как древнеземледельческого юга, так и скотоводческого севера.

Монументальная сырцовая архитектура жилищного строительства, оригинальная фортификация с элементами лабиринта, ортогональная уличная сеть – характерны для компактных жилых комплексов внутри укрепленного ядра поселения наиболее раннего Сапаллитепа. Более обширный Джаркутан имел рассредоточенную застройку с жилыми массивами, разбросанными за пределами центральной крепости. Дома возведены на высоких сырцовых платформах, в каждом жилом массиве – свой культовый центр с алтарями огня в стенной нише и в виде круглого очага посреди помещения.

Процветают бронзолитейное и ювелирное ремесла, ткачество, обработка кости, камня и дерева. Высококачественная керамическая продукция характеризует профессиональную специализацию гончарного производства. Богатый ассортимент керамики, высокий уровень ее изготовления и обжига, парадность и многообразие форм свидетельствуют о высоком техническом и технологическом уровне гончарного дела, о приобретении керамической продукцией товарного характера.

Отмечается широкий круг контактов населения с племенами отдаленных областей, в первую очередь, с носителями хараппской цивилизации Индии. Об этом, в частности, свидетельствует каменная мужская головка из Моллалы, выполненная в стиле, общем для всего Древнего Востока.

Своеобразна оседлоземледельческая культура эпохи бронзы древней Ферганы, названная по первому изученному поселению чустской. Поселения основывались в долинах небольших саев, стекающих с гор Северной Ферганы, или вблизи родниковых вод и притоков речек. Они располагались группами в равнинной части долины и представляли обычно родовые селения небольших размеров, но встречаются и сравнительно крупные поселения. Со временем вокруг них появились оборонительные стены, а на значительном памятнике Дальверзинтепа отмечается и наличие цитадели.

Для ранней поры чустской культуры характерно жилище полуземляночного типа с многочисленными хозяйственными ямами. Позднее появляются наземные дома, построенные из продолговатого сырцового кирпича. О развитии бронзолитейного производства свидетельствуют многочисленные находки – каменные и глиняные тигли,

глиняные формы для отливки зеркал с небольшой рукоятью, серпов, ножей. Набор бронзовых изделий чустской культуры включает орудия труда, предметы вооружения, конской упряжи, украшения и предметы туалета. Широкое распространение имели каменные изделия в виде серповидных ножей, зернотерок, отбойников, мотыг. Разнообразен набор костяных орудий и поделок – гребней и ткацких челноков, проколок-шильев, роговых псалий, наконечников стрел.

Лепная, разнообразная по форме чустская керамика покрыта ангобом разных оттенков от светло-коричневого до черного и обработана лощением. Изготовлялась также и расписная посуда.

В Ташкентском оазисе культура чустского типа с земледельческим укладом хозяйства IV–I веков до н. э. по месту открытия получила название бургулюкской. Автохтонные носители культур расписной керамики чустского типа под влиянием южных соседей в это время переходят к оседлому образу жизни.

Более поздняя расписная керамика южных областей нынешнего Узбекистана несколько иная, чем на севере, она унаследовала черты гончарства местной протогородской культуры. Наряду с лепной расписной керамикой здесь продолжается изготовление сосудов на гончарном круге.

В последнее время на юге Узбекистана выявлены два типа поселения – крупных с цитаделью и небольших без цитадели, варьирующих как по своей планировке, так и размерами. Архитектура жилищ здесь монументальна. Исследовано несколько сельских усадеб – Кучуктепа, Майдатепа, Кызылча VI. Они строились на высокой кирпичной платформе. В пределах общей обводной стены плотная застройка сочетала жилые и культовые сооружения. Степные пространства нынешнего Узбекистана в эпоху бронзы были заняты скотоводческими племенами. Культура этих племен „степной бронзы" изучена на примере поселения конца 3 – первой трети 2-го тысячелетия до н. э. Заманбаба в северо-западной части Бухарского оазиса. Жилищем здесь служили крупные полуземлянки. В обиходе были круглодонная и плоскодонная неорнаментированная посуда, в основном, ручной лепки, бронзовые орудия труда, листовидные кремневые наконечники стрел.

Другая группа памятников культуры степной бронзы со своими особенностями открыта в низовьях Амударьи и названа тазабагъябской. Памятники этого круга середины – второй половины 2-го тысячелетия до н. э. известны в Ташкентском оазисе, в Ферганской долине, в низовьях Зарафшана, в Самаркандской области.

Для ранней суярганской культуры Хорезма характерны лепные сосуды с шаровидным туловом, окрашенные в красный цвет и лощенные, что, как полагают, свидетельствует о южном происхождении всего комплекса.

Памятники степной бронзы второй половины 2-го тысячелетия до н. э. на территории Узбекистана характеризуют культуру скотоводческо-земледельческого населения, для которой характерна исключительно лепная керамика – плоскодонные горшки и банки, круглодонные чаши, орнаментация геометрическими рисунками. Богато представлены бронзовые украшения – браслеты и серьги , зеркала и бусы, нередко покрытые листовым золотом.

Заключительный этап развития племен степной бронзы на территории Узбекистана изучен на материалах ами-

рабадской культуры (XI–VII века́ до н. э.). Раскопками поселения Яккепарсан обнаружено около двадцати домов полуземляночного типа. В центре каждого дома был очаг, вокруг которого располагались хозяйственные ямы. Изобиловали керамика, орудия труда и кости животных. Керамика – лепная, кострового обжига, с лощением и геометрическими узорами на верхней части сосуда. Население вело земледельческое хозяйство, но также занималось и скотоводством.

В конце 2 – начале 1-го тысячелетия до н. э. в Средней Азии, в том числе на территории Узбекистана, происходят существенные исторические события. С одной стороны отмечается интенсивный прогресс в скотоводческом хозяйстве племен степного круга, с другой – сложение центров культуры мелкооазисного орошаемого земледелия. В эту пору постепенно формируется и развивается ряд историко-культурных областей, таких как Бактрия, Согд, Хорезм и соответственно происходит сложение бактрийской, согдийской, хорезмийской народностей.

У среднеазиатских народов, в частности населявших территорию Узбекистана на рубеже 2–1-го тысячелетий до н. э., уже сложились определенные религиозные представления и верования, наиболее распространенной формой которых был культ огня, воплощавшего символ божественной справедливости. Он запечатлен в археологических памятниках в виде храмовых комплексов с остатками алтарей. Они открыты и исследованы на поселениях в Саразме, Чусте, Джаркутане. В это время, по-видимому, уже слагаются отдельные идеологические представления, которые потом вошли в систему зороастризма. С этим, возможно, связана находка в монументальном храмовом комплексе Джаркутана культового сосуда „мург-оби" в виде птицы. С вхождением же в VI–IV веках до н. э. многих областей Средней Азии в состав древнеиранской державы Ахеменидов зороастризм приобретает значение государственной религии.

Первая треть 1-го тысячелетия до н. э. ознаменована появлением железных орудий труда и оружия (раннежелезный век) и крупными этническими миграциями. Они отображены как продвижение „арийских народов" в древнейших частях Авесты, повествующей о создании благим Ахурамаздой „благословенных областей", в числе которых приведены названия и тех, что располагались на землях нынешнего Узбекистана: Бахди = Бактрия в среднем и верхнем течении Амударьи, Сугуда = Согд в междуречьях Кашкадарьи – Заравшана – Сырдарьи, Хваразмия = Хорезм в низовьях Амударьи. В VI веке до н. э. Бактрия и Согд были завоеваны и включены в состав сатрапий державы иранских Ахеменидов, что во многом ускорило уже протекавший до того процесс начальной урбанизации этих областей. Бактрийское городище Кизылтепа, хорезмийские городища Калалыгыр и Кюзелигыр – уже городские образования, которым присущ охват города крепостными стенами и рвом, выделение цитадели, дворца, видимо, и храмовых строений, причем, трем первым из названных городищ придан прямоугольный план. Вырабатываются приемы крепостной архитектуры – возвышенные стены с внутристенными казематами или коридорами, фланкированные полукруглыми башнями, пронизанные множеством бойниц. Слагаются четкие планировочные схемы – таков, например, дворец в Калалыгыре с системой дворов и колонных залов.

Вхождение среднеазиатских областей в состав ахеменидского царства не изменило собственный путь развития их материальной культуры, отличный от западно-иранских сатрапий. Находки художественных изделий (в основном, малых форм) для этого периода пока малочисленны. В числе их капитель из Султануиздага с двумя протомами человекоовнов, гемма с изображением ахеменидского воина и каменные плакетки с фигурами животных (из Самарканда), ритоны, завершенные головой коня из хорезмийских раскопок. Богаче в этом отношении оказались находки из соседнего Таджикистана (Амударьинский клад, некоторые предметы из храма в Тахти-Сангине), связанные с единой культурой севернобактрийского региона. Весь этот материал указывает на значительное расширение культурных связей с ближневосточным миром.

330–327 годы до н. э. ознаменованы событиями, которые имели место на землях Бактрианы и Согдианы (так именовали греки на эллинизированный манер Бактрию и Согд). Пребывание македонян в Трансоксиане, т. е. областях, расположенных к северу от Окса = Амударьи, ограничилось созданием опорных форпостов и оставлением в них гарнизонов. Подлинное же приобщение к эллинистической цивилизации началось уже тогда, когда ушел из жизни великий полководец и были отторгнуты наследовавшие ему Селевкиды. В Средней Азии к середине III века до н. э. утвердились собственные, подчеркивавшие свое филэллинство, местные правители – греко-бактрийские в Бактрии, аршакидские в областях Южного Туркменистана. Включение южных районов Средней Азии в широкий круг международных связей определило приобщение ее к высотам эллинистической культуры, которая отраженным светом передавалась в лежащие к северу сопредельные области – Согд, Шаш, Фергану, Хорезм.

Время среднеазиатской античности (IV век до н. э. – IV век н. э.) ныне предстает в исключительном богатстве своих проявлений в области художественной культуры. Археология открыла на землях Узбекистана ряд крупных городов того времени – Дальверзин, Термез, Джандавляттепа в Бактрии, Афрасиаб, Еркурган в Согде, Джанбаскала, Аязкала, Топраккала в Хорезме, десятки малых укрепленных населенных пунктов и сотни селений. Эпоха эта отмечена закреплением упомянутых местных династий, а со второй половины II века до н. э. продвижением с северо-востока полукочевых народов – саков и юечжей, осевших на землях Бактрии, и народа кангюй, овладевшего Чачем, Согдом, Хорезмом. К началу нашей эры из юечжийской среды выдвинулось племя кушан, со временем создавших обширную Кушанскую империю, включившую загиндукушские области влоть до бассейнов Инда и Ганга в Индии и просуществовавшую до III века н. э. Другие области Средней Азии оставались под номинальным владычеством рыхлого государственного образования Кангюй, составляя, по существу, почти самостоятельные политические единицы.

Художественная культура I–III веков отмечена переосмыслением эллинистических воздействий в русле азиатского мировоззрения. Северная Бактрия дала в этом плане особое богатство художественных открытий. Еще до недавнего времени дискутировавшийся вопрос о северных границах Кушанского царства, которые некоторыми исследователями сдвигались до Хорезма включительно, ныне решен со всей

определенностью. Обследование горных цепей к северу от Амударьи выявило здесь в рассекающих их ущельях участки мощных стен кушанского времени, замыкавших эти проходы от Согда. Предгорья же и особенно долинные зоны были насыщены населенными пунктами, изучение которых дало богатый материал.

Античная культура Средней Азии предстает как яркий и своеобразный феномен. Ее расцвет был напрямую связан с нарастающей урбанизацией – сложением и ростом городов, которым присущи разработанные градостроительные принципы. Этому сопутствовало совершенствование фортификации и усиление ее оборонных качеств, регулярная внутриквартальная застройка, подъем на новую ступень строительной техники, которая обеспечивала масштабы монументального зодчества, разработка определенной, присущей именно среднеазиатскому региону, архитектурной типологии и создание местного архитектурного ордера.

Архитектурная композиция богатых жилых домов, дворцов, храмов была лаконична, на фасадах царила гладь оштукатуренных глиной, реже ганчем стен и лишь главный был выделен колонным айваном. Стройные деревянные колонны, иногда на каменных базах – древней торовидной формы или же аттического типа поддерживали тщательно обработанные балки плафона. В Бактрии надолго сохраняются каменные капители колонн и пилястр, являющие собой переработку греко-коринфского ордера. Но в основном художественное оформление зданий монументальной архитектуры было сосредоточено в главных интерьерах – будь то дворцовый аудиенц-зал, гостиная или храмовое святилище, в оформлении которых нередко сочетались живопись и скульптура. То и другое дошло в фрагментарном состоянии. Специфика местных материалов во многом определяла их недостаточную стойкость в противостоянии времени. На сырцовые стены наносился слой глиняной штукатурки, затем осуществлялась затирка поверхности и прямо по ней или по тонкой гипсовой подгрунтовке наносилась роспись, которая из-за непрочности штукатурки со временем легко опадала со стен.

В дошедших фрагментах живописи есть мотивы орнаментальные – в обрамлениях и бордюрах, реже – в отдельных панно. Обращает на себя внимание близость некоторых из них к эллинизированной орнаментике, какова, например, вереница пальметт, но чаще это несложные мотивы – сетки, пересекающиеся кружки. Преобладала, однако, живопись тематическая. В ней предстают преломленные условностями искусства образы людей той эпохи, того места, когда и где эта живопись создавалась – образы реальной жизни и мифологии.

Памятники Бактрии – Тохаристана иллюстрируют их разнообразие. Так на фрагментах из Халчаяна можно видеть молодого мужчину эллинизированного облика и рядом профиль мальчика явно монголоидного типа. В жилом доме на Дальверзинтепа было извлечено два фрагмента: выразительный профиль бородатого воина в каске, с воздетым мечом, и кусок морды его бронированного коня, а в другом доме – часть женского лица и крупная когтистая лапа, видимо, грифона.

На Дальверзинтепа фрагменты живописи обнаружены в двух небольших храмах первых веков нашей эры, посвященных Великой бактрийской богине (или двум богиням? В кушанском

пантеоне, судя по монетам, их было несколько). В Северном храме сохранилась часть сцены с сидящей на троне богиней с сакральным жестом левой руки, обращенным к группе, где совершается ритуал: бородатый жрец и две жрицы протягивают к ней, очевидно за благословением, трех младенцев. Все образы экспрессивны и передают духовное состояние участников торжественного акта.

В Южном храме найдены дробленые остатки живописи – женские обнаженные руки, детали одеяний, орнаментальные мотивы. И вместе с тем – большая часть какой-то многофигурной композиции: часть крупа коня, часть стоящей перед ним мужской фигуры и двухярусный балкон, где в одном ряду группа рыжеволосых, а в другом – черноволосых женщин. С каким героем, с каким хорошо знакомым современникам, но загадочным для нас сюжетом связана эта сцена? Вероятно, он почерпнут из местной мифологии и соотносится с богиней, которой посвящен сам храм.

Живопись украшала буддийские монастыри кушанского периода на городище Старого Термеза – наземный Фаязтепа, полупещерный Каратепа, буддийский храм на Дальверзинтепа. Во всех были изображения Будды – сидящего в позе медитации или, как проповедника истины, шествующего. Они традиционны, следуя иконографии, выработанной в Северо-Западной Индии, но интересней персонажи из окружения Будды. Таков на Каратепа архат – аскет, выразительный профиль которого с обожанием обращен, очевидно, в сторону Будды. В росписях Фаязтепа примечательны адоранты. В нижнем участке композиции представлены мужчины в характерных для кушанского костюма шароварах и облегающей обуви и женщины в длинных одеяниях. А на отдельном фрагменте — головы двух адорантов, одна из которых сохранилась целиком: красивый мужественный профиль с подстриженными в кружок волосами, чем-то он напоминает горделивого римлянина, но одежда его явно местного покроя.

Живопись Хорезма предстает в ряде фрагментов II—III веков из дворца правителей на городище Топраккала. В ее композициях обращает на себя внимание роль фона. Иногда это ландшафт — воды реки (несомненно Амударьи), переданные условными спиралями, среди которых плывут желто-красные рыбки; камышовые джунгли и морда их обитателя — тигра. Иногда его заполняют красные сердечки. Среди персонажей здесь дамы, видимо, обитательницы царского гарема, статный юноша в нарядном кафтане и другой — несущий какие-то свитки, девушка — простолюдинка, протягивающая руки к виноградной грозди, бюст арфистки над сочным листом аканта.

В согдийском храме Еркургана (III—IV века́ н. э.) примечательна мощная колонна, окрашенная в густо-красный цвет с нечетким черным петлеобразным орнаментом и на этом фоне — белые шествующие фигуры. Они почти силуэтны, в длинных, просторных платьях, в руках их цветок, плод граната, еще какой-то предмет. По-видимому, это жрецы, совершающие обряд, связанный с культом той богини, которой был посвящен храм.

В античное время в монументальном искусстве приоритет принадлежал не стенописи, а скульптуре. Она предстает в великолепных образцах на землях Северного Тохаристана и Хорезма.

Среднеазиатские скульпторы использовали в своих творениях глину, гипс,

изредка камень, но преобладала все же пластичная глина, которой богаты местные предгорья. Лепка велась в несколько слоев, от глиняной болванки с внутренним деревянным или камышовым каркасом, с тщательной моделировкой верхнего слоя и последующей окраской. Это или трехчетвертная пристенная скульптура, располагавшаяся в нишах и потому лишь начерно обработанная со спины, или настенная, когда голова и плечи выполнены в полном объеме, торс — в половинном, сходя у ног на горельеф. Для прочности в глину иногда вводился стриженый волос.

В Бактрии — Тохаристане самая ранняя монументальная скульптура (около рубежа нашей эры) выявлена в халчаянском дворце, где она украшала айван и, особенно, аудиенц-зал. Тематика ее целиком связана с прославлением правящего дома, принадлежавшего к той ветви ранних кушан, во главе которой стоял правитель Герай Санаб, известный по особой группе серебряных монет. Основной состав участников главных композиций — его сородичи, которым присущ тот же этнический тип, но лица их не идентичны и передают индивидуальные портреты. Они выразительны, в них запечатлены не только приметы возраста, но общая духовность, присущая скульптуре эпохи эллинизма, при подчеркнуто локальном понимании норм мужской красоты. Были здесь персонажи и иных этнических групп.

Скульптура располагалась на трех стенах, вверху. Здесь было несколько тематических композиций — сцены торжественного представительства и сражения. Над ними тянулся фриз, связанный с театрально зрелищной тематикой: мальчуганы, поддерживающие тяжелые гирлянды, в свесах которых — более крупные бюсты актеров, женщин с музыкальными инструментами, козлоухих сатиров, скоморохов. В центре же над царской четой божества-покровители – Афина, Геракл, Ника, образы которых, заимствованные из эллинистического искусства, претерпели определенную локальную переработку.

Халчаянская скульптура воплощает светскую линию развития пластического искусства. Культовая же имела в местных религиях сходный стиль, судя по фрагментам глиняных статуй из северного и южного храмов бактрийской богини на Дальверзинтепа.

Иной была скульптура буддийских памятников Северного Тохаристана. На городище Дальверзинтепа было вскрыто два храма вне и внутри городских стен (I–II и II–III векá).

Скульптура – частью глиняная, но в основном – глиногипсовая, где на глиняной основе с внутренним каркасом внешний слой выполнен гипсом. Некоторые детали (изящно изогнутые пальцы рук, завитки волос, уши) отлиты целиком из гипса с применением формочек, а иногда матрицы использовались и для формовки стандартных лиц Будды и бодхисатв. Качество выполнения здесь весьма высокое, причем, статуям из загородного храма присуща большая индивидуальность образов, во внутригородском же преобладает канон. Основные участники скульптурных композиций повторяют репертуар буддийской пластики, сформировавшийся в Северо-Западной Индии в области Гандхара. По мере продвижения буддийских колоний с ними прибывали и скульпторы, придерживавшиеся выработанных традиций в иконографии Будды, бодхисатв, их неземного окружения – гениев, дэватов, гандхарвов, якшей. Но поскольку на почве Бактрии – Тохаристана существовала собственная высокоразвитая скульптурная школа, местные мастера, принявшие буддизм, также были вовлечены в работы по украшению монастырей и святилищ, внося собственное понимание моделей, видоизменяя не только детали, но и самый их облик в местном вкусе. Так, в северном святилище изображения Будды, судя по дошедшим фрагментам, вполне лаконичны, так же, как лица монахов. Но облик второстепенных существ буддийского пантеона тяготеет не столько к гандхарской, сколько к греческой традиции, а некоторые дэваты – это юноши из окружавшей скульптура среды. Индивидуальное начало особенно четко запечатлено в передаче образов почитателей Будды из царской среды и их придворного окружения, но у всех у них отсутствуют и приметы возраста, и какое-либо эмоциональное начало. В самих композициях царит „количественная масштабность": участники в зависимости от ранга изображены либо очень крупными (фигура правителя, голова принца), либо вдвое меньшими (дамы из царского гарема), либо еще меньшими (вельможи).

Скульптурное оформление внутригородского буддийского комплекса Дальверзинтепа было особенно насыщенным во дворике; в соседних помещениях и у возвышавшейся рядом ступы также имелись скульптурные изображения. В центральной нише располагалась огромная статуя сидящего Будды, а вдоль стен – не столь крупные другие фигуры будд, высились почти трехметровые статуи стоящих бодхисатв. Фронтальность поз и бесстрастие благородных лиц придавали этим образам вневременное величие. Полуобнаженные торсы бодхисатв украшают богатейшие ожерелья, на руках браслеты, в ушах серьги, нижняя половина фигур окутана драпирующейся юбкой – уттария, из-под которой выступают ноги в нарядных сандалиях, также украшенных фигурными накладками. Величие бодхисатв противостоит небольшим фигурам буддистов-мирян, среди которых воин в шлеме, юноша в тюрбане, виден небольшой женский торс, окутанный драпирующейся тканью, под которой угадываются гибкие формы тела.

Выдающимся созданием тохаристано-буддийского ваяния является широко известный фриз II века н. э., входивший в оформление крупного буддийского комплекса на городище Айртам, где среди листов аканта выступают полуфигуры с дарственными предметами или музыкальными инструментами в руках. Одни из них выполнены в индийской традиции, но большинство передают иной этнический тип, иные виды головных уборов и ювелирных украшений, видимо отражая местный тохаристанский этнос. В том же комплексе была обнаружена крупная стела, выполненная в чисто индийской манере, от которой сохранилась лишь нижняя половина: обнаженные ноги мужчины и стоящей рядом женщины в драпирующейся густыми складками одежде, со скрещенными ногами, с браслетами у щиколоток (так обычно изображались Шива с его супругой Парвати). Надпись по низу плиты, выполненная бактрийским письмом (основанном на греческом алфавите и на бактрийском же языке) повествует о том, что на четвертом году правления кушанского царя Хувишки в Айртам был направлен некий Шудия для восстановления пришедшего в упадок буддийского комплекса, которому было дано имя предшествующего царя Канишки, а начертал это Мирзад.

Скульптурную школу античного Хорезма характеризует высокое мастерство и несомненная самобытность в передаче типажа, видимо отвечавшего облику хорезмийского населения. Материалом скульптуры и здесь была в основном глина, реже применялась глиногипсовая техника. К началу новой эры относится глиняная мужская голова из Аккалы, где энергичная лепка черт придает лицу большую выразительность. Но особое богатство скульптуры II–III веков, дошедшей преимущественно в обломках, было сосредоточено во дворце Топраккала. В нем торжествует династийная тема. Скульптурное оформление входит в убранство нескольких залов. В „Зале царей" – монументальные по масштабам фигуры – мужские в длинных рубахах и шароварах, женские в драпирующейся одежде. Прямо устремленный взгляд, бесстрастие облика, особый этнический тип двух сохранившихся женских голов – все говорит здесь о собственном воззрении на задачи пластического искусства.

Так называемый „Зал краснокожих воинов" оформляли массивные, волютообразные на концах постаменты, на которых высилась монументальная (очевидно царская) статуя в центре, а по обе стороны стояли воины в своеобразных головных уборах, с копьями в руках. В другом зале царила композиция с сидящим правителем, которого венчали славой две крылатые Виктории. В третьем, видимо предназначенном для пиршественных увеселений, были настенные фигуры танцоров и ряженых. Еще в одном помещении – барельеф с протомой мчащегося оленя, возможно, объекта охоты преследовавших его всадников, которые не сохранились.

Согдийская монументальная скульптура известна лишь в упоминавшемся позднеантичном храме на городище

Еркурган. Часть головы, выполненной из глины, передает какой-то странно архаизирующий тип лица, напоминающий чуть ли не ассирийские образы. Своеобразен терракотовый блок, где повторены выполненные оттиском с матрицы головы двух согдийцев.

Античный период в истории Узбекистана характеризуется высоким подъемом в сфере искусства малых форм, включающего произведения глиптики (геммы инталии, печати), образцы медальерного искусства (монеты), мелкой терракотовой скульптуры и других предметов художественного ремесла.

Одним из прекраснейших созданий античного искусства Узбекистана являются резные камни. В них сочетаются первозданная красота камня и безупречная рука творца. Неповторимые творения природы под резцом талантливых мастеров приобретают совершенно новый оттенок, созвучный эстетическим нормам и идеалам их создателей. Чарующая чистота тонов, неповторимая игра граней издавна привлекали внимание человека; находясь во власти оптических, электрических и магнитных свойств камня, он приписывал ему некую таинственную магическую силу, превращая его в амулет, способный уберечь от злых сил. Геммы в жизни древнего общества играли и роль личной печати того или иного высокопоставленного лица при переписке или составлении официальных документов. Вместе с тем, резные камни представляют не только образцы искусства глиптики, но и являются важным источником по мифологии и религии, отражая либо образ божественного покровителя, либо божественный символ.

Запечатленные на античных геммах из Узбекистана сюжеты различны по своему характеру. Наряду с антропо-морфными изображениями встречаются фигуры полуфантастических животных (гопатшах, грифон, гиппо-камп и т. д.), или же просто животных, имеющих также символическое значение. Некоторые образцы гемм представляют сюжеты, иконографически тяготеющие к традициям греческой глиптики, характеризующиеся реалистической манерой исполнения, высоким художественным уровнем, гармонией и совершенством форм.

В геммах позднеантичного периода выделяются образцы, условно относимые к сасанидскому изобразительному комплексу. Искусство сасанидского типа широко представлено в памятниках декоративно-прикладного жанра, начиная с III века н. э. Анализ этих произведений показывает, что многие из них являются творениями местных согдийских и бактрийских мастеров.

Эпоха античности доносит до нас неповторимые по силе реализма и уровню художественного исполнения образцы медальерного искусства. Это в первую очередь относится к греко-бактрийским монетам с портретными изображениями царей – базилевсов и их божественных покровителей. Эти монеты являют нам целую галерею портретов, подчас тонко психологических, подчас грубоватых, но всегда ярко индивидуальных. Мастер проникновенно передает образ царя, его интересует не только внешнее сходство, но и духовный облик его как человека и как политического деятеля.

Монеты Евтидема представляют царя с волевыми складками бровей и целеустремленным взглядом. Портрет Деметрия в слоновьем шлеме исполнен царственного величия могущественного правителя и удачливого полководца. Монеты Эвкратида рисуют образ хитроумного дипломата и тонкого политика. Сведения, которые доносит до нас письменная традиция о деспоте и узурпаторе, убившем своего отца ради овладения троном, можно уловить в образе, запечатленном на монетах Гелиокла: перед нами властолюбивый тиран, не останавливающийся ни перед чем ради достижения своих целей.

Оборотная сторона греко-бактрийских монет демонстрирует целый сонм греческих божеств-покровителей царской власти. Изображения Зевса, Аполлона, Диониса, Геракла, Посейдона, Тихе, Диоскуров и других отличаются высоким реализмом, совершенством композиционного построения. По своему иконографическому решению они соотносимы с каноническими произведениями монументальной скульптуры эллинистического периода, среди которых наиболее близкими их прототипами являются работы Лисиппа.

Изображения греко-бактрийских монет свидетельствуют о политических событиях, происходивших в жизни государства. Так, шлем Деметрия в виде головы слона можно, по всей видимости, связать с походом в Индию и ее покорением, так же как изображение Афины в слоновьей квадриге.

Синтез в художественной культуре периода после падения греко-бактрийского царства наиболее выразительно проявляется в памятниках кушанской поры, отображая те многочисленные явления, которые происходили в изобразительном искусстве на землях Узбекистана. Монеты кушанской империи частью следуют традициям предшествующей эпохи. Эту преемственность удается проследить в композициях фигур, общей схеме костюма (например, наличие плаща-гиматия, пристегнутого на плечах или на груди фибулой), атрибутах (диадема, трезубец), но

в целом преобладают чисто азиатские головные уборы, костюм, вооружение, существенно меняется пантеон божества, тяготея более к иранскому и частью индийскому началу. На монетах появляются сюжеты, связанные с местными ритуалами – фигура царя у алтаря огня.

По художественному уровню кушанские монеты значительно уступают образцам предшествующего периода. Изображения приобретают тяжеловесность и грубоватую обобщенность, нарушается пропорция в построении фигуры. Впитав традиции предшествующего времени, кушанская эпоха являет собой новую веху в развитии искусства монетариев.

Одной из наиболее многочисленных групп изделий художественного ремесла, характерной преимущественно для античных городских центров, становится терракотовая скульптура. Производство терракотовых статуэток во многом связано с технологией производства гончарных изделий, но в то же время терракота отражает наиболее характерные черты пластического искусства разных историко-культурных регионов. Автором модели мог быть как профессионал скульптор-коропласт, так и сам мастер-гончар (последнему, по всей вероятности, принадлежат предельно схематизированные антропоморфные изображения, а также лепные фигурки животных). Далее процесс тиражирования и последующей обработки глиняных фигурок проходит последовательно примерно те же операции, что и керамические изделия.

Терракотовая скульптура является ценным источником по мифологии и религии древних обществ. Представляя собой массовый вид изобразительной продукции, близкий по своему характеру к народному творчеству, образцы коропластики отображают наиболее популярные культы в среде городского и сельского населения.

Для терракот Узбекистана, как, впрочем, и всего среднеазиатского региона, характерно фронтальное построение фигуры, обусловленное как спецификой производства, так и сложившейся традицией, наблюдаемой и в монументальной скульптуре, которая подчиняясь архитектурным особенностям храмовых или дворцовых ансамблей строго следует принципу фронтальности. Этот же принцип довлеет над искусством коропластики, часто содержащей реплики монументального искусства.

В среднеазиатских терракотах нет гармоничной соразмерности форм, которая свойственна греческим статуэткам. Искусство каждого культурного региона накладывает здесь отпечаток и на пластику малых форм. Тем самым определилось своеобразие коропластических центров, основанных на местных традициях изобразительного искусства. При однозначности сюжетов терракотовая скульптура Согда, Бактрии, Хорезма отличается особенностями художественного осмысления образа и его пластического воплощения. Каждый регион представляет феномен, отражающий истоки изобразительных традиций, а также мифологию и религию местной этно-культурной общности. В этом аспекте произведения искусства являются ценным источником формирования и развития мировоззрения древнего населения. Произведения коропластики, являясь культовыми предметами, передают особенности религиозного пантеона и религиозных представлений. Сюжеты, используемые в терракотовой скульптуре, связаны, в первую очередь, с культурами, уходящими своими корнями в глубокий пласт древних верований. С культами богини плодородия (Великая Матерь, Анахита) связаны женские терракотовые статуэтки с атрибутами, символизирующими водную стихию, животворную влагу – насущную необходимость как полей и садов земледельцев, так и пастбищ скотоводов. С божествами плодородия ассоциируются фигурки с плодами и ветками растений в руках – аллегории воскрешающейся природы, обилия урожая. В коропластике Согда, Бактрии, Хорезма прослеживается целый сюжетный цикл, связанный с местным дионисийским культом: изображения нагих фигур с гроздью винограда или музицирующих персонажей. Популярность последних свидетельствует о большом значении музыки в жизни древнего населения, где ни одно религиозное празднество не обходилось без музыкального сопровождения. О высоком уровне музыкальной культуры свидетельствует разнообразие инструментов (изображения арфы, других струнных инструментов, различных флейт и свирелей).

Отдельные образцы терракотовой скульптуры связаны с культами локальных божеств, характерными для определенной территории и этно-культурной общности: богини-покровительницы оборонительных сооружений, богини Ардохшо, в имени которой запечатлено название реки Окс.

Эллинистическая изобразительная традиция по-разному отразилась в коропластическом искусстве Согда и Бактрии. В коропластике античного Согда появляются изображения, которые ассоциируются с образами эллинистической пластики (головки типа образов Александра Македонского, Аретусы, Афины и др.). В бактрийской терракоте выделяются женские изображения в костюмах греческого типа. Менее всего подвергаются влиянию регионы, не вступившие в непосредственный культурный контакт с греко-македонской культурой (Хорезм).

С проникновением и распространением буддизма в Средней Азии мотивы буддийского изобразительного комплекса проникают и в сферу терракотовой скульптуры. В репертуаре бактрийских коропластов появляется образ Будды, наиболее ранние образцы иконографии которого зафиксированы в слоях I века н. э. Встречаются также фигурки бодхисатв, адорантов, якшей и др. Всем этим статуэткам свойственна мягкая моделировка тела, одежда передается драпировкой, состоящей из тончайших складок мягкой материи, либо в виде грубого плаща-власяницы с крупными складками, следующими ровными рядами. Фигуры бодхисатв и других буддийских персонажей украшены нашейными и нагрудными ожерельями, браслетами на запястьях рук и щиколотках ног. Зооморфная терракота буддийского характера представлена фигурками обезьянок, слонов.

Самой многочисленной категорией находок при археологических раскопках городищ, поселений, курганных захоронений является керамика. Керамику античного периода в зонах земледельческих оазисов, выполненную на гончарном круге, отличает высокое качество, разнообразие и изысканность форм. Тонкая профилировка и изящные линии керамической посуды отражают высокую квалификацию и развитой художественный вкус мастера-гончара. Античные керамические изделия отличаются тщательностью отделки на всех производственных этапах, начиная с гончарного круга, где уверенная рука создателя выводит изящную линию изгиба будущего сосуда и

до ангобной раскраски изделия в мягкой красновато-коричневой тональности. Эллинистическая традиция прослеживается в керамических изделиях, преимущественно в столовой посуде, но многие формы характерны только для среднеазиатской керамики: таковы бокалы на тонкой ножке и посуда хозяйственного назначения.

Для керамики раннеантичного времени не характерны приемы пластического украшения посуды, однако встречаются редкие экземпляры таких керамических форм, как ритоны, украшенные протомой какого-либо животного.

Включение орнаментики характерно для керамики кушанской поры, преимущественно на территории Бактрии – Тохаристана: тщательно выделанная поверхность форм дополняется штампованным орнаментом в виде разнообразных растительных, зооморфных и антропоморфных мотивов (пальметта, плоды, солярные знаки, ступня или ладонь Будды). Нередко посуда украшается зооморфной ручкой в виде изогнутой фигурки обезьянки, головки барана или другого животного.

Своеобразна керамика так называемой „каунчинской культуры", захватывающей северные районы современного Узбекистана, характер которой раскрывает особенности оседло-скотоводческой среды, носительницы этой культуры. Керамика эта, как правило, изготовлена лепным способом, несколько грубовата, часто покрыта густокрасным ангобом. Одной из примечательных особенностей является украшение ручки или тулова сосуда головкой барана. Часто головами баранов или козлов оформляются очажные подставки.

В художественном оформлении керамических изделий IV—II веков до н. э. особо выделяются хорезмийские вьючные фляги – „мустахара", своеобразная форма которых приспособлена для транспортировки. На округлой боковой стенке оттискиваются рельефные изображения мифологического или символического характера. Композиции включают образы фантастических существ (грифонов), всадников, сцены со сложной символической подоплекой.

Заметное место в искусстве античного периода занимали изделия из кости. Образцы костяных изделий, демонстрирующие высокий уровень косторезного мастерства, представлены либо объемной резьбой в виде фигурок людей, животных, изображений плодов, либо нанесенными на полированную поверхность гравированными рисунками с сюжетами на всевозможные темы.

IV век считается концом античной эпохи, но ее богатое художественное наследие послужило благодатной почвой для дальнейшего развития изобразительного искусства последующего времени; мастера раннего средневековья нередко обращаются к сюжетам и композициям античности, как к неиссякаемой сокровищнице творческого опыта и вдохновения.

Начало эпохи раннего средневековья ознаменовано крушением крупных государств античности – Кушанской империи и Кангюйского объединения – и массовым вторжением на их территорию кочевников: кидаритов, хионитов, эфталитов. Сложившееся в центральных районах Средней Азии в IV–V веках н. э. поначалу большое и сильное эфталитское государство успешно противостояло натиску сасанидского Ирана. Но уже в VI веке ему пришлось столкнуться на севере с могущественным кочевым государством – Тюркским каганатом, который на

какое-то время установил контроль в Средней Азии. Однако, он был ослаблен в результате внутренних противоречий в самом каганате в VII веке.

Происходивший в это время процесс усиленной феодализации страны выразился в образовании множества полусамостоятельных больших и малых владений, во главе с местными династиями, подчас только номинально подчинявшимися Тюркскому каганату. Быстрый рост производительных сил молодого общества, его социальное расслоение с выделением феодальной знати – дихкан, сословия купцов, особенно в Согде, обусловил и рост городов, ремесел и торговли. Ранее сложившиеся пути транзитной торговли – Великий шелковый путь во многом меняет свою трассу, его ветви поднимаются на север в контактные зоны с кочевниками. Развитие торговых связей привело к необходимости выпуска больших монетных эмиссий. Среднеазиатский рынок был наводнен продукцией монетных дворов Тохаристана, Согда, Уструшаны и Чача, а также монетами сасанидского Ирана, Византии, тюрок и Китая.

В среднеазиатских княжествах отмечается рост городского ремесла. Крупным центром оставались Самарканд, Бухара, города Южного Согда, быстро начали развиваться города Чача. Они были очагами развития гончарного ремесла, стеклоделия, металлообработки, ткачества. Эта продукция частично шла на вывоз.

В результате подъема производительных сил с VI века и роста культурных потребностей общества были преодолены преграды, мешавшие освоению культурных достижений других народов. Мастера Согда и соседних княжеств, не довольствуясь опытом предков, усваивали и применяли художественные приемы народов Ирана, Индии, Византии, Китая и кочевых тюрок, в свою очередь, многое передав им. Такой обмен стал своеобразным символом эпохи, в нем ключ к объяснению многообразных явлений художественной культуры Средней Азии.

Монументальному искусству этой эпохи, как и предшествующей античности, свойствен синтез компонентов: архитектурного декора с живописью и скульптурой.

Монументальная живопись повсеместно приобрела широкое распространение в качестве украшения интерьеров. Сплошное покрытие плоскости стен сюжетными росписями в сочетании с орнаментом равно встречается в оформлении общественных зданий — храмов и дворцов и частных — замков и городских жилищ знати и зажиточных горожан. Росписи наносились на подготовленную сухую поверхность стены, предварительно оштукатуренную глиняным раствором и загрунтованную белым составом. Использовались клеевые краски, для позолоты – натуральное золото.

Возрожденное благодаря археологическим открытиям в Балалыктепа, Варахше, Пенджикенте, Самарканде и других местах искусство монументальной живописи открыло неведомый мир образов мифотворчества и литературной эпической традиции, донося до нас исторические события и культовые обряды далекого прошлого, передавая атмосферу эпохи с ее идеалом героя, кодексом нравственных и моральных ценностей, раскрывая внутреннюю жизнь представителей феодального класса, показывая детали обстановки и быта, костюмы, снаряжение и вооружение.

Специалисты выделяют локальные школы живописи, черты которых прояв-

вились как в культовом, так и в светском искусстве. К тохаристанской школе относятся росписи дихканского замка в Балалыктепа (V–VI века). Здесь в интерьере квадратного зала на синей глади стен развернута единая по сюжету сцена пиршества мужчин и женщин в колоритных костюмах с золотыми и серебряными кубками в руках. Яркая жизнерадостная живопись и само содержание сцены находятся, однако, в некотором противоречии со статичностью поз и бесстрастием лиц, что заставляет предположить связь ее с тохаристанской буддийской иконописной традицией.

Богата живопись согдийской школы во дворце Варахши, столицы владетелей Бухарского оазиса VII–VIII веков. В главном зале был изображен царь (по мнению некоторых исследователей – божество) сидящим на троне в форме крылатого верблюда среди сюжетов придворной жизни: сцен жертвоприношения, охоты, развлечений. Тема утверждения светской и духовной власти правителя соседствует с панорамой эпического содержания, развернутой в смежном зале, где представлена борьба восседающего на слоне героя с гепардами и фантастическими зверями.

Наиболее яркое представление о живописи согдийской школы, находящейся в зените своего развития, дают росписи, обнаруженные на Афрасиабе в квартале роскошных резиденций самаркандского правителя и придворной знати VII–VIII веков. Здесь в большом зале сохранились росписи, сюжетно подчиненные теме прибытия к царю Самарканда послов с дарами из соседних княжеств и отдаленных владений. Ярка и насыщена деталями сцена свадебного шествия, которое открывает принцесса на слоне в сопровождении придворных дам, двух бородатых послов на верблюдах, кавалькады всадников с главой посольства, вереницы священных птиц и предназначенного в дар коня. Наполнены бытовыми подробностями сцена переправы через реку китайской принцессы, сцена охоты на леопардов. Кульминация всей композиции – прием послов самаркандским царем.

Наиболее полно синтезированное единство монументальной живописи и скульптуры данной эпохи предстает в буддийском искусстве, которое продолжило буддийское творчество античного времени. Яркое представление о скульптуре дает собрание буддийских статуй храма Кувы в Южной Фергане. Они являются образцом местного ферганского творчества, сочетавшего индийскую культовую иконографию с чертами локальных божеств-идолов. Такова фигура синетелого божества и центральной статуи Будды, трехглазого фронтально развернутого в застывшей позе истукана. Его сопровождают бодхисатвы, хранители веры, демоны, переданные с большой выразительностью и экспрессией.

Образцы светской скульптуры обнаружены при раскопках замка-усадьбы IV–VI веков Куевкурган в Тохаристане. Женские и мужские фигуры, облаченные в легкие облегающие одежды с украшениями, составляли некогда сюжетную композицию. Мастерски изваянные лица лишены портретности и переданы в легкой оцепенелости с застывшей полуулыбкой. Здесь явно проявляется тот же налет традиций буддийской иконографии, что и в живописи Балалыктепа.

В оформлении построек светского назначения в VI–VIII веках применялось украшение интерьеров резьбой по дереву и ганчу, реже по сырой глине.

Сохранившиеся образцы резного дерева свидетельствуют о великолепно развитом искусстве, выработавшем каноны как в передаче фигур живых существ, так и в построении орнамента. Остатки их извлечены из слоев пожарища на Афрасиабе, в замке Джумалактепа (Тохаристан). Сюжетная резьба заключала мифологические сцены, в орнаментальном заполнении архитектурных деталей и плоскостей широко использовались растительные побеги, пальметты, чешуйчатая разделка и геометрические построения.

Эпоха раннего средневековья была началом триумфа мастерства резчиков по ганчу. Его наиболее ранние образцы демонстрируют отход от античных традиций и утверждение нового стилевого направления. Они ярко представлены в оформлении дворцовых интерьеров Варахши, где изобразительные мотивы соседствовали с орнаментом. Человеческие фигуры, фантастические существа – крылатый конь, женщина-птица, рыбы, птицы и животные были участниками каких-то сюжетных сцен эпического или местного культово-мифологического содержания. В орнаменте реально переданные растительные мотивы сочетались с подчиненным геометрической разбивке вегетативным же заполнением плоскости, предвосхищавшим богатство этого стиля последующих веков.

Наряду с монументальным искусством, в раннем средневековье процветали различные виды декоративно-прикладного икусства, взлет которого был следствием роста городов, развития городских ремесел, специализации и мастерства ремесленников, их знакомства с культурными ценностями соседних стран.

Широко бытовали изделия и утварь из золота, серебра и цветных металлов, работали мастера – торевты, в продукции которых проявляются признаки принадлежности к разным школам. Больших успехов в VI–VIII веках достигли школы хорезмских, тохаристанских, согдийских мастеров. Исходя из местных, ранее сложившихся традиций, торевты вместе с тем впитывали и перерабатывали заимствования из других школ и влияния, идущие извне: из ирано-сасанидского, византийского, тюркского искусства кочевников.

К художественному металлу относятся объемные подвески, брактеаты с оттиском монетных сасанидских штампов, различные украшения одежды и вооружения, драгоценные курильницы и подставки, производившиеся в среднеазиатских княжествах. Археологические находки, иконографические материалы, письменные источники доносят до нас почти все виды вооружения и защитных доспехов, которые изготовлялись в Согде, Тохаристане, Чаче, Фергане в эту эпоху. Рукояти кинжалов и мечей, ножны, элементы панциря делались подчас из драгоценных металлов и украшались богатой инкрустацией, превращаясь в подлинные произведения искусства.

Косторезное ремесло характерно выпуском массы утилитарно-бытовых поделок в виде нашивок, обкладок, рукоятей, игральных фишек; изготовлялись и уникальные высокохудожественные изделия. Это – украшенные резным рисунком накладки сложных луков, тяготеющие к традиции искусства кочевых народов, обогащенной художественными приемами, сложившимися в среднеазиатских раннефеодальных владениях (изображение воина-лучника из Кашкадарьи). Новую страницу, демонстрирующую объемную резьбу косторезов открывает найденный на Афрасиабе полный набор шахматных фигур VIII века, выточенных из слоновой кости. В числе их персонажи, восседающие на троне, установленном на спине сразу двух лощадей, а также на слоне, одноконные всадники при полном вооружении и пешие воины, припавшие на колено.

Материалы раскопок и живописные изображения позволяют познакомиться с разнообразными изделиями ювелиров и мастеров резьбы по камню периода раннего феодализма. В V–VI веках продолжали употребляться геммы инталии из полудрагоценных камней, чаще всего из сердолика. Ювелирные украшения, подчас сложные и массивные, были неотъемлемой принадлежностью костюма представителей среднеазиатской знати. Гривны, браслеты, перстни, серьги и подвески из золота и серебра с вставками драгоценных камней – непременные аксессуары персонажей монументальных росписей. Немало найдено ювелирных украшений, поделок и бус при раскопках. Вместе с драгоценными металлами использовались камни: сердолик, изумруд, лазурит, горный хрусталь, бирюза, а также стекло и стеклянная паста. Известно, что камни служили не только украшением, им приписывалась чудотворная сила оберегов.

В эпоху раннего средневековья ткачество в среднеазиатских областях превратилось в развитую отрасль ремесла, активно работавшую на внутренний и внешний рынок. Наряду с изделиями широкого потребления, изготовлявшимися из шерсти и хлопка, широко распространилась выделка шелковых тканей. Секрет шелководства перестал быть прерогативой Китая – разводить шелковичного червя начали в Согде, Тохаристане, Фергане и других областях. Везде в этих центрах рождались очаги шелкоткачества и производства шелков. Они находили широкий спрос. Из шелков, парчи изготовляли дорогие одежды, так блестяще представленные в иконографии персонажей в росписях, завесы, коврики для украшения стен и лежанок – суф. Согдийские шелка приобрели большую известность и широко распространились в пределах тогдашнего культурного мира.

Шелкоткачество, как отрасль художественного ремесла, впитывало сюжеты и мотивы архитектурного декора, росписей, художественного металла и само влияло на них. Одним из известнейших центров было селение Зандана близ Бухары, изготовлявшее знаменитые ткани „занданечи“, тип которых сложился в конце VI–VII веке. По технике ткачества это была сложная саржа, по характеру орнаментики – переработка византийских и сасанидских образцов с включением типично согдийских деталей. Характерная особенность композиции орнамента – медальоны, оконтуренные перлами и расположенные рядами с заполнением пространства между ними растительными вставками. В узор вплетались изображения зверей, фантастических существ, человеческих голов. Несколько образцов этих тканей обнаружено в росписях на Афрасиабе, Балалыктепа.

Традиционное искусство мелкой пластики, столь распространенное в Бактрии и Согде в античную эпоху, претерпело ряд изменений как в иконографии, так и в круге образов, отразив этнокультурные и идеологические сдвиги, произошедшие в среднеазиатском обществе. Объекты торевтики теперь встречены и в Чаче, и в Фергане. Терракотовые фигурки, оттиснутые штампом с последующей подправкой ножом, продолжали бытовать, хотя выпуск их уменьшился. Наряду с ними широко распространились вылепленные от руки идольчики, иногда с отштампованными лицами. Получили развитие также разного рода антропоморфные и зооморфные налепы на сосудах и культовых курильницах, а также погребальных ящиках – оссуариях. Значительное развитие получило украшение глиняных поверхностей сюжетными изображениями, выполненными техникой штампа.

Терракотовые изображения вводят нас в круг идеологических воззрений широких масс населения, мелкие фигурки позволяют судить и о формах монументальной утраченной ныне скульптуры, миниатюрными копиями которой они подчас являются. По-прежнему крупным центром коропластики оставался Согд. Найденные в Самарканде, Рабинджане, Талибарзу, Кафыркале, Бухаре, Пайкенде, Еркургане разнообразные статуэтки, оттиснутые на плитках рельефы, налепные штампованные головки свидетельствуют о высоком мастерстве. Они содержат как образы, бывшие объектами культового поклонения или участников каких-то обрядов и ритуалов, так и персонажей героического эпоса и сказаний. Таковы, например, „образки“ с изображением сказочного витязя. Женские и мужские головки передают разнообразие этнического состава населения, костюмов и отражают оттенки чувств и выражения лиц.

С каунчинско-кангюйскими традициями связаны курильницы в виде букраниев с углублением для горения. В южном Согде в Нахшебе изготовлялись светильники и курильницы с пунсонными налепами, состоящие из резервуара, скрепленного с зооморфной фигуркой (барана, верблюда, лошади и др.). В Согде, Тохаристане, Чаче изготовлялись курильницы – башни и чаши.

Отдельной отраслью ремесел и художественного творчества стало в раннем средневековье изготовление оссуариев. Вызванное к жизни широким внедрением в погребальную практику среднеазиатских княжеств оссуарного способа захоронения костей, это искусство, естественно, было связано с миром образов, ритуалов и атрибутов погребальных обрядов и заупокойного культа. В Согде были распространены прямоугольные ящики, стенки которых и их конусовидные крышки сплошь покрывал оттиснутый штампом рисунок, воспроизводящий некое ритуальное действие под арками здания, возможно имитирующего реальные погребальные постройки – наусы или дахмы. Архитектурные оссуарии, иногда покрытые росписями вместо рельефов, были распространены в Хорезме. Они доносят миниатюрное воспроизведение монументальной стенной живописи, украшавшей некогда реальные храмы (оссуарии Токкалы VII–VIII веков). По ним можно также судить о церемониях, сопровождавших погребение, ритуале оплакивания, когда участники рвали на себе волосы и раздирали одежду. Чачу свойственны овальные и прямоугольные ящички, украшенные проще, резным и процарапанным орнаментом, и увенчанные фигурками птиц, баранов, сдвоенных протом лошадей или человеческими личинами.

Бурное и яркое развитие художественной культуры Согда, Тохаристана, Чача, Ферганы, Хорезма было прервано арабским завоеванием VII–VIII веков, принесшим в страну чуждую религию – ислам. Догмы ислама, насильственно внедренные в местную среду, устранили в многоликом искусстве все, что было связано с сюжетно-тематическим воспроизведением, направив его в основном в орнаментально-декоративное русло.

После длительной борьбы с арабскими завоевателями владения Средней Азии входят под эгидой халифата в состав государства Тахиридов, а затем – Саманидов со столицей в Бухаре (IX–X века́).

Укрепление центральной власти способствовало подъему экономики страны. Развиваются добыча благородных и цветных металлов, способствовавшая расцвету ювелирного ремесла, гончарное производство и стеклоделие. Тесные связи с кочевниками давали сырье для ткачества, ковроделия и для выделки продукции из кож.

Развитие торговых связей способствует культурной интеграции обширной территории от Средней Азии до Ближнего и Среднего Востока. Определенную роль в сближении культур сыграла и новая идеология – ислам. Не знающий четкого разграничения духовных и светских функций, он проникает во все сферы государственной власти и экономики, науки и техники. Арабский, а затем персидский языки делают доступными достижения науки и культуры ученым громадного евразийского региона. Поэтому, продолжая разработку самостоятельных корней, идущих из раннефеодальной эпохи, архитектура и искусство Средней Азии вливаются в единое русло культуры стран Арабского халифата. Процесс этот вызывает значительные перемены во всех областях общественной и культурной жизни страны. Расцвет городов резко демократизирует сословную базу потребителей сферы архитектуры и искусства. Оформляются новые типы гражданской, жилой и культовой архитектуры. Развивается и стандартизируется планировочный тип построек. Использование жженого кирпича позволяет создавать сложные композиционные мотивы, превратившиеся в декоративно-облицовочный орнамент, включающий также элементы резной терракоты. В отделке интерьера используются монументальные композиционные росписи и резной ганч. Широко распространяются геометрический и растительный орнаменты, сочетающиеся иногда с надписями строгим почерком „куфи", который затем сменяется гибким почерком „насх".

Разрабатывается сложный орнамент — „гирих", образуемый путем многократных сочетаний различных комбинаций простейших элементов геометрических форм в зеркальном отражении и на диагональных линиях или в системе круга. Звездчатый орнамент, сочетаясь со спиралями и другими элементами, обрамляется стилизованно-растительными побегами — „ислими", используется расцветка фона, придающая резному декору глубину и контрастность.

Предварительная разработка целых панно резного ганча и их штамповка с последующим использованием готовых сюжетов и их комбинаций в оформлении декоративных стен ускоряют оформительскую работу. Резьба по ганчу сочетается с росписью по белой глади стен и резьбой по дереву колонн и карнизов айвана.

Новые средства художественной выразительности проникают в городские ремесла — керамику и металлообработку. Новые формы столовой посуды, широкое использование глазурей создают для орнаменталистов или каллиграфов ранее невиданные возможности. Крупные парадные сосуды открытых форм — ляганы и чаши, мелкие — косы и пиалы расписываются внутри и по бортику снаружи. Роспись по снежно-белому фону под бесцветной глазурью включает красочно выполненные благопожелания, назидательные

надписи, бейты стихов наиболее популярных поэтов-лириков или философские изречения. В композиции включаются жанровые сюжеты.

Растущая потребность в парадной посуде приводит к узкой специализации мастеров и, в частности, к привлечению в содружество в качестве равноправного творца художника-каллиграфа. Роспись сочетается с резьбой, которая сменяется накладными штампами, а затем и лепкой в художественно-орнаментированной форме с зеркально отраженной композицией.

Быстрого взлета достигает стеклоделие с более гибким набором форм, частично вытесняющих керамические (кружки, бокалы), частично дополняющих их (кувшины, чаши). Художественная подкраска стекла, инкрустация, шлифовка или рельефный декор, выполнявшийся в горячем виде, витые жгуты сочетаются с выдуванием в форму.

Благодаря интенсивной разработке золотых, серебряных и медных рудников Мавераннахра расширяется база торевтики. Изготовляются кувшины и чаши, подставки, тазы, ляганы, сосуды специального назначения, вычеканенные или тонко отлитые с чеканным орнаментом, инкрустацией по бронзе золотом или серебром, тонированием фона, придающим глубину рисунку, включающему мотивы, аналогичные гончарному искусству.

В это время происходит переосмысление и качественно новое решение в прикладном искусстве в целом образов прежних эпох, которые становятся компонентами новой орнаментальной системы, иногда изменяющей или просто теряющей старое содержание. Широко используются зооморфные мотивы и изображения птиц и зверей. Они включаются в сцены композиций подглазурной росписи и чеканки, в штампованные и резные композиции на сосудах и керамических очагах, изделиях из стекла, ручках чирагов, изделиях художественной бронзы. Это и одиночные, и симметричные групповые изображения и сюжетные сценки. К числу излюбленных мотивов принадлежит звериный гон, космологические представления которого постепенно утрачивают свое смысловое содержание, заменяясь сказочно-эпическим или просто декоративно-художественным.

Реалистические мотивы зачастую теряют свою самостоятельность и смысловое содержание так, что в качестве самостоятельного сюжета выступают иногда лишь отдельные зооморфные детали (мотив распахнутых крыльев, стилизованных рыбок и т. д.). Интенсивная разработка копей и большой интерес к познанию свойств драгоценных металлов вызвали расцвет ювелирного ремесла с использованием минералов, а выход на арену новых социальных групп – ремесленников, купцов и воинов влил многоэтническую струю в художественно-декоративное оформление этого изящного ремесла. Сверление, огранка и полирование камней и обработка кости сочетаются с чеканкой, литьем и штамповкой, гранением и гравировкой, напаиванием зерни и филиграни, чернением и золочением металла.

Браслеты и перстни, серьги, бусы, нагрудные и памятные художественные подвески, украшение одежды и оформление книг, миниатюрных туалетных предметов и редких видов оружия – всюду проникают детали ювелирно-художественной орнаментики. Самоцветам приписывалось и внутреннее содержание – дарование победы и

благополучия, оберега – отвращения бед и болезней и т. д.

Большую смысловую нагрузку содержит декор, в котором магические звучания причудливо переплетаются с новыми мусульманскими благопожеланиями и заклинаниями: графические и скульптурные фигурки сказочных змей и животных, человека, полиморфные изображения типа образов женщины-птицы сирин, хумаюн. Свою семантику имеют и украшения в виде отдельных предметов: использование четких геометрических форм – многогранной призмы или шара, полусферы или ромба, скульптурный или графический орнамент, сочетаемый с тонировкой фона, придавали изделиям гармоничность и завершенность.

Ювелирное искусство широко проникает в народную среду, поэтому наряду с высокохудожественными произведениями встречаются более массовые, в которых бронза заменяет благородные металлы, упрощается технология, а место самоцветов с сохранением их культово-магической роли занимают окрашенная паста, инкрустирование стеклом.

Широко распространенные отрасли ремесла – художественное шитье, ткачество и ковроделие. Последнее было традиционно – распространено не только в крупных городах, но и во многих селениях Мавераннахра.

Восточные географы дают восторженные характеристики среднеазиатским ткачам. Упоминается ткацкая продукция Самарканда и Рабинджана, Варданы и Дабусии, городов Хорезма и Шаша, в котором отдельно упоминаются бенакетские ткани. О ведарийской ткани восточные источники сообщают, что „все вельможи и цари приготавливают себе из нее одежду и покупают ее по цене парчи“.

На рубеже X–XI веков на смену Саманидской державе пришли другие государственные образования: к югу от Амударьи – государство Газневидов, к северу – Караханидский каганат. Довольно скоро Караханидское государство распалось на Восточный и Западный каганаты, причем, столицей последнего стал Самарканд. В конце XI века Караханиды подчинились Сельджукидам, а затем каракитаям (киданям) – народу монгольского происхождения, пришедшему с Дальнего Востока. Наконец, во второй половине XII века усилились Ануштегиниды, властители Хорезма, которые в начале XIII столетия подчинили всю Среднюю Азию. В отличие от Саманидов, вышедших из таджиков, наследовавшие им династии, за исключением киданей, были тюркскими по происхождению.

Таким образом, период XI – начала XIII века был для Средней Азии достаточно бурным, политически очень нестабильным и насыщенным бесчисленными войнами. Тем не менее, здесь происходит бурный рост городов, дальнейшее развитие торговли, ремесел, экономики и культуры.

Блестящих успехов достигла архитектура, в частности, в сфере декора. К числу прежних его видов в XI–XII веках прибавилась резная терракота с ее изумительным многообразием геометрических растительных и эпиграфических мотивов. Сперва однотонная, в XII – начале XIII века она обогащается включением цветной глазури. Тогда же появляются и ранние поливные изразцы. Еще более изощренным становится резной штук, причем и здесь вводится цвет – отдельные элементы орнамента раскрашиваются желтой, красной, голубой красками.

Для XI–XII веков характерна определенная нивелировка уровней культуры, хотя разница между городом и деревней все же сохранялась. В этом плане очень показателен пример городища Шахджувар (Ташкентская область), расположенного далеко в горах, в верховьях реки Пскем. Здесь найдены, в частности, великолепные образцы резной терракоты, мало чем уступающие находкам из столичного Самарканда.

Много новых черт наблюдается в самом массовом виде прикладного искусства – в керамике. Эпиграфический орнамент поливной посуды, представленный многими блестящими образцами в предшествующую эпоху, теперь быстро схематизируется, подчас до неузнаваемости, а потом и вообще сходит на нет. Несомненно также постепенное упрощение орнаментальных мотивов глазурованной керамики, особенно заметное к концу домонгольской эпохи, когда наблюдается и ухудшение качества глазури. В целом снижение качества глазурованной посуды объясняют обычно тем, что в связи с возросшим спросом появляется стремление к удешевлению ее производства. Новшеством явилось распространение кашимной (фаянсовой) посуды, покрытой чаще всего голубой глазурью. Но такие изделия характерны не для всей территории Узбекистана, а прежде всего для Согда. Из кашина делали не только посуду, но и дешевые украшения, бусы, подвески и т. д.

Довольно широкое распространение получает в караханидское время расписная неполивная керамика, представленная чаще всего кувшинами. Особенно интересны ферганские кувшины – „мург-оби“ – с зооморфным туловом. Богатством декора отличаются сосуды с тисненным (штампованным) орнаментом. Здесь и звериный гон, и отдельные изображения животных и птиц, и растительные побеги, и отличающиеся высоким каллиграфическим мастерством надписи гибким почерком „насх".

Достаточно массовым было производство и использование стеклянной утвари, которая, по словам Беруни, была дешевой ввиду ее обилия. В караханидский период продолжают изготовлять те же виды стеклянных изделий, что и в предшествующее время. Широкое распространение получает оконное стекло в виде разного диаметра дисков, иногда цветных (желтых, голубых, марганцево-красного цвета). Стекла вставлялись в ганчевые решетки – панджара, которые иногда раскрашивались.

Разнообразны металлические изделия XI–XII веков. Вероятно, серебряный кризис, который охватил в то время огромные пространства мусульманского мира и привел к почти полному исчезновению из обращения полноценной серебряной монеты, послужил причиной тому, что образцы среднеазиатского художественного металла той поры изготовлены из бронзы или меди. Это – котлы и котелки, тазики, чаши, подносы, кувшины, ларцы, светильники и многое другое. Орнаментация таких изделий, то скромная, то очень пышная, включает, наряду с растительным и геометрическим узорами, пространные надписи с благопожеланиями, стилизованные изображения зверей, птиц, рыб, прочих живых существ, нередко фантастических – сфинксов, льво-грифонов, птиц-дев и собако-птиц (сэнмурвов).

К предметам прикладного искусства относятся и некоторые изделия из мягкого жароустойчивого талькового камня, пригодного для изготовления самых разнообразных предметов – от светильников до котлов; между

прочим, считалось, что пища, приготовленная в таком котле, получается особенно вкусной.

Хотя запрет изображать животных, вообще живые существа, был сформулирован мусульманскими законоведами еще в конце VIII века, даже к началу XII века он распространялся далеко не на все виды изделий и вообще на практике соблюдался не очень строго. Помимо предметов прикладного искусства показательно появление изображений такого рода на монетах, которые на средневековом мусульманском. Востоке были, к тому же, своего рода официальными документами. Так, если на саманидских монетах мы видим только надписи с религиозными изречениями и упоминанием правителей, а иногда орнаментальные мотивы, то на некоторых караханидских и сельджукидских монетах появляются также изображения животных – слона, барана, зайца, рыбы, хищной птицы, петуха и даже чешуйчатых драконов.

От саманидских караханидские монеты отличаются большей орнаментальностью – надписи поля заключены нередко в фигурные картуши, а сами надписи подчас очень изысканны и красивы, довольно широко применяется почерк, который не зря именуется „цветущим куфи".

В целом для среднеазиатского искусства XI – начала XIII века характерно появление целого ряда новых черт и веяний, возможно некоторые из них связаны с усилением роли тюрков и восприятием некоторых привнесенных ими мотивов и идей, например, в сфере зооморфных сюжетов.

Нашествие монголо-татар в начале XIII века замедлило развитие культуры в областях Средней Азии. Лишь на исходе столетия, по мере преодоления его разрушительных последствий и восстановления хозяйства здесь намечается новый подъем городской жизни, строительной деятельности, ремесел и торговли. Особая роль принадлежит Хорезму, через который пролегала главная торговая и политическая трасса, связывавшая приволжские владения Золотой орды со среднеазиатским регионом. Столичный Ургенч (ныне городище Куня-Ургенч в Туркменской ССР) переживает подлинный расцвет, в нем складывается своя архитектурная школа, оставившая несколько подлинных шедевров. Общий подъем строительства происходит и в городах Мавераннахра. Архитектурные памятники этого периода в Бухаре и Самарканде отмечены новизной композиций и, особенно, архитектурного декора, где получают распространение облицовки цветными глазурованными кирпичами и плитками резной поливной терракоты, а в орнаментике царит сложный растительный узор. Успехи гончарного дела отмечены и в бытовой керамике, где изменяется по сравнению с домонгольским периодом общий стиль росписей – мелкоузорных, с применением черной, голубой, частью синей красок по белому ангобу, или с черной росписью под голубой глазурью.

Резким рывком политической и культурной жизни Мавераннахра отмечена последняя четверть XIV века. Это время стремительного восхождения на историческую арену Тимура, путем жестоких завоеваний создавшего огромную, империю, простиравшуюся от Сирии и Ирака до Северной Индии. Со всех концов ее в Среднюю Азию стекались несметные богатства и тысячи искусных мастеров и ремесленников. Купленная ценой разорения целых стран и областей культура Средней Азии, благодаря сотрудничеству этой массы творческих сил, вступает на новый уровень. В городах Мавераннахра – Самарканде, Шахрисабзе, Бухаре ведется грандиозное строительство, размах и масштабы которого не знали себе равных в истории Среднего Востока. Величию архитектурных форм отвечает великолепие декоративного убранства. На фасадах царят изразцовые облицовки – орнаментальные наборы глазурованных кирпичей, многоцветная майолика, резная наборная мозаика, а также резьба по мрамору, а в интерьерах – настенная орнаментальная роспись с обилием золота. В удивительной гармонии предстают здесь растительный, геометрический и эпиграфический орнаменты (многорядная вязь стройного почерка „сульс").

Творческая активность эпохи Тимура была продолжена в первой половине XV века в годы правления его высокопросвященного внука Улугбека. Далее наступает постепенный спад, ибо центр политической и культурной жизни перемещается из Самарканда в Герат. Но творческая мысль здесь не угасает. Хотя строительная деятельность заметно сокращается, вторая половина XV века отмечена прогрессом в этой области и в обшети архитектурного декора. Появляются новый тип сводчато-купольных конструкций и особая техника настенных росписей „кундаль" с рельефным позолоченным узором, напоминающим богато расшитую ткань.

Высокого совершенства достигают в эпоху Тимуридов различные художественные ремесла. Испанский посол Рюи Гонзалес де Клавихо, посетивший при Тимуре Самарканд, описывает поразившие его своим богатством и разнообразием узора войлочные, ковровые покрытия праздничных палаток и шатров. Мы можем судить о них лишь по изображениям на миниатюрах. Из дошедших же до нас художественных изделий тимуридской эпохи можно назвать медночеканные изделия, керамику, а также богатые манускрипты, в оформлении которых участвовали каллиграфы, миниатюристы, иллюминаторы листов, мастера переплетного дела.

Комплекс изделий, обнаруженных археологами в мастерской медника близ самаркандского Регистана, дает разнообразные по форме и украшениям кувшины, светильники, подставки. Орнаментику их, по сравнению с более ранними изделиями, отличает бо́льшая изысканность, но и определенная измельченность узора, преимущественно стилизованно-растительного, густо насыщающего поверхности. С искусством обработки металла было связано и мастерство оружейников – не просто изготовлявших, но и украшавших шлемы, щиты, ножны и рукояти мечей. Известно, что в цитадели Тимура в Самарканде существовала особая мастерская по изготовлению оружия, но выделить среди тех образцов, что дошли до наших дней, относящиеся к данному периоду пока невозможно. Бытовая глазурованная керамика претерпевает в XV веке существенные изменения. Большую роль сыграло в этом увлечение китайским фарфором времен династии Мин – белоснежным, с кобальтовой росписью. Секрет фарфора, выполнявшегося из каолина, в Средней Азии не был раскрыт. Но местные мастера разработали его имитации на силикатной основе – кашине. И хотя он не столь плотен, как фарфор, кашинный черепок, благодаря мелкопористой структуре, глубоко впитывает глазурь и создает мягкие растеки кобальта, чем достигается почти идентичная фарфору внешняя фактура. При этом широко используются китайские

мотивы – спаренные персики, „гриб бессмертия“, стилизованные облака, меандры и другие, символике которых, вероятно, здесь не придавалось значения. Со временем, заимствованные орнаментальные мотивы исчезли, но сохранялось главное – легкая, не скованная строгой геометрической разбивкой кистевая роспись. Одновременно сосуществовала керамика с черной росписью под звучно-голубой глазурью, применялось однотонное сочно-зеленое покрытие глазурованных сосудов. Современники-очевидцы сообщают о настенной живописи в самаркандских дворцах Тимура с изображениями его сражений, охоты и пиршеств, портретов самого самодержца, его жен и отпрысков. А в самаркандской обсерватории Улугбека были изображения светил и знаков зодиака – очевидно подобные тем, какие можно видеть в восточных астрономических трактатах, где им приданы очеловеченные или зооморфные образы. Однако вся эта живопись со временем исчезла. Но сохранилась живопись миниатюрная.

Один из авторов XV века сообщает о существовании при Тимуре в Самарканде придворной мастерской, где работали мастера переписки и оформления рукописных книг. В числе их были художники-миниатюристы, во главе которых стоял выдающийся мастер Абдалхайя, привезенный из Багдада. В обширном наследии миниатюры эпохи Тимуридов к настоящему времени выделен ряд миниатюр самаркандского происхождения, но они в большинстве сосредоточены в зарубежных собраниях и не могут быть представлены в данной экспозиции.

После падения раздираемой внутренними противоречиями и междоусобицами династии высокие достижения культуры этой эпохи были восприняты и развиты на следующем этапе среднеазиатской истории.

С эпохи великих географических открытий и с постепенным налаживанием морских связей между Востоком и Западом Средняя Азия уже перестает играть прежнюю роль в трансконтинентальных торговых связях. На рубеже XV–XVI веков в Мавераннахр вторгаются племена кочевых узбеков. Относительная легкость и бескровность захвата явились лишь политическим следствием социально-экономического кризиса бывшей державы Тимуридов. Смена династий и объединение страны, казалось бы, давшие новый толчок возрождению в XVI–XVII веках экономики, культуры и искусства, на самом деле лишь на время приостановили тенденции общего спада.

В области идеологии отмечается дальнейшее усиление позиций наиболее консервативных форм религии. В области материальной культуры помпезные сооружения Тимуридов сменяются в XVI–XVII веках более рационалистичным направлением в зодчестве – стремлением строить побольше и подешевле. Примерами могут служить мечеть Калян в Бухаре, медресе Шейбанихана и Михр-Султан-ханым в Самарканде, медресе Абдулазизхана в Бухаре, медресе Шир-Дор и Тилля-Кари в Самарканде. Тем не менее, величавости форм большинства сооружений этого периода, средоточием которых является новая столица государства – Бухара, при близком рассмотрении противоречит упрощенность, отсутствие точности в симметрии или даже небрежность внешней отделки. На смену изящной резной наборной мозаике вводится четырехцветная облицовочная майолика с расплывчатым рисунком. Наряду с возведением большого количества мечетей, медресе, хона-

ко осуществляется строительство гражданских объектов – плотин, мостов на реках, водохранилищ, укрепленных постоялых дворов на торговых путях (рабатов), торговых куполов (тимов), бань, призванных поддержать основные направления в угасающей экономике государства. К черте рационализма, видимо, необходимо отнести наличие стандартных типовых проектов, рассчитанных на то, чтобы строить быстро, максимально дешево и практично.

Таким образом, зодчество Средней Азии XVI–XVII веков сумело не только впитать в себя достижения предшествующих столетий, но и в значительной степени углубить их, по-новаторски решая в новых условиях экономического спада сложные задачи.

Процесс дальнейшего развития и обновления претерпели и городские ремесла. В частности, миниатюрная живопись и производство бумаги, находясь преимущественно на службе высших слоев общества, достигли высокого развития. Большим успехом и спросом пользовались среднеазиатские текстильные изделия, многие из которых ежегодно вывозились в Московское государство и в Сибирь. Наряду с текстилем, крупное значение как предмет экспорта занимало оружие. Словилось дорогое оружие бухарской работы: сабли, ножи, латы, щиты, луки, шлемы, украшенные драгоценными камнями и накладными узорами из золота и серебра.

В самом массовом виде ремесла – керамическом производстве так же, как и в керамике архитектурной отмечается отход от достижений предшествующей эпохи. На первых порах продолжается традиция белофонной монохромной синей росписи в подражание китайскому фарфору. Но уже здесь мы замечаем постепенное исчезновение зооморфных и антропоморфных сюжетов, растительные мотивы приобретают стилизованные черты, наблюдаются расплывы красок. К концу XVII века эти процессы приобретают еще более яркое выражение: практически полностью исчезают кашинные изделия, ухудшается качество глазурей, орнаментация выполняется росписью марганцем, голубой краской или процарапыванием, стилизация растительных орнаментов приобретает массовые формы, часто исполняясь на посуде в своей новой форме – басма

(штампик – в виде многолучевой звезды). Все эти факты, более чем в каком-либо другом ремесле, показывают постепенное упрощение мастерами-керамистами своих изделий для достижения минимальных цен на посуду. XVIII век был периодом жестокого социального, экономического и культурного кризиса, охватившего всю Среднюю Азию. Страна мучительно вступала в новое время. И это – уже иная страница художественной культуры, которая не представлена на настоящей выставке.

INTRODUCTION

Uzbekistan, the land of Uzbeks, stretches far and wide between two major Central Asian rivers: the Syrdarya in the North and the Amudarya in the South. Nature on its territory is diverse: blossoming valleys, mountain foothills, boundless steppelands, quick sand and numerous "sais"–shallow rivers flowing abundantly down the mountains in springtime, and completely drying up in summer. Everywhere on this land a man has lived since time immemorial, adapting his life style and activities to the peculiarities of the chosen habitation. In the steppelands it is better to breed livestock rather than engage in crop farming requiring artificial irrigation. On adyrs, rain-fed lands in mountain foothills, where there is more moisture, it is possible to grow some wheat varieties and graze livestock on rich pastures. Valleys where ramified irrigation networks were created by the tremendous effort of many generations, have been cultivated since ancient times.

It was in the course of many centuries of complicated, and not always peaceful contacts between crop farmers and livestock breeders, that versatile culture of the peoples populating the present-day Uzbekistan, and their original art were formed.

The most ancient works of art found in Uzbekistan date back to the mesolithic period, when a primeval painter drew a hunting scene in raddle on the rocks of Zarautsai. He pictured animals and hunters in triangle-shaped cloaks schematically, in traditions of primitive realism. Apart from stone implements, the Late Stone Age is richly represented by everyday objects including hand-made pottery ornamented by nail imprints already at that early stage of culture.

The Bronze Age, embracing the 2nd and the beginning of the 1st millenium B. C., was marked in southern regions of the present-day Uzbekistan by the formation of a proto-city civilization, with rather well-developed building technique, emergent methods of mass and monumental architecture, and progressing bronze-smelting and pottery-making.

A considerable number of artifacts belonging to farming tribes of the Bronze Age, were unearthed and studied in the South of Uzbekistan. That was the earliest culture discovered to-date on the republic's territory, a culture of able craftsmen, expert jewellers and skilful builders. So far, the greatest amount of research data has been obtained on the settlements of the 17th–10th centuries B. C.: Sapallitepa and Djarkutan. Their archeological complexes provided enough material for studying the establishment and development of a proto-city civilization of an ancient Oriental type, which had ethnocultural contacts with tribes both in the farming South and the livestock-breeding North.

Monumental adobe architecture of dwellings, original fortifications with elements of the labyrinth, and the orthogonal street network were typical of compact housing complexes surrounded by fortified walls, in the earliest Sapallitepa. Djarkutan was bigger and more scattered, with dwelling areas outside the central fortress. Its houses stood on high adobe platforms, and each block of dwellings had its own ritual centre with fire sanctuaries in wall recesses and in the shape of a round hearth in the middle of the premise.

Bronze-smelting, jewelry-making, fabric-weaving and bone-, wood- and stone-working were florishing. High-quality ceramics show signs of professional specialization in pottery production. The rich assortment of ceramics, the high quality of its manufacture and baking, and its magnificent versatile forms betray a high technical and technological level of the craft of pottery, and testify to the fact that pottery became a commodity.

The population had a wide range of contacts with tribes in distant regions, primarily, with bearers of the Harappa civilization in India, Pakistan. Among other things, this is proved by a male stone head from Mollala, fulfilled in a manner typical of the ancient Orient.

An original culture was created by settled farming tribes of the Bronze Age in Ancient Ferghana. It is called the Chust culture, after the first ancient settlement discovered in that area. Settlements were built in the valleys of small rivers flowing down the moun-tains of North Ferghana, or near water springs and tributaries. They were mostly small and usually populated by one clan, and were scattered in clusters. There were also bigger settlements. With time, fortification walls were built around them, and in Dalverzintepa even a citadel was erected.

The early Chust culture is characterized by semi-dug-out dwellings with numerous pits for various household purposes. Later on they gave way to surface housing built of oblong adobe bricks. Bronze-smelting was well-developed. This fact is proved by numerous stone and clay crucibles and clay moulds for casting hand mirrors, sickles and knives. Among the bronze articles typical of the Chust culture, are implements, weapons, harness, ornaments and toilet items. Stone articles, such as crescent-shaped knives, millstones, cutting tools and hoes, are plenty. There is also a diversity of bone implements and articles: combs, shuttles, awls, horn psals and arrowheads.

Moulded Chust pottery of diverse shapes is coated with engobe of various hues, ranging form light-brown to black, and then glazed. Painted pottery was also made.

Chust-like culture of the 4th–1st centuries B. C. with farming economy, discovered in the Tashkent oasis, is known as the Burgulyuk culture, named after the place of its origin. At that time, autochtonous bearers of Chust-like painted pottery cultures were assuming a settled lifestyle under the influence of their southern neighbours.

Painted pottery of later periods in southern regions of the present-day Uzbekistan was somewhat different from that of the North. It inheritied features of a local proto-city culture. Along with hand-moulded painted pottery, local craftsmen made ceramic vessels on potter's wheel.

Lately, two types of settlements were discovered in South Uzbekistan: larger ones, with a citadel, and smaller ones, without it. They vary both in layout and size. The architecture of dwellings was monumental. Archeologists have studied several farmsteads: Kuchuktepe, Maidatepe and Kizilcha VI. They were built on high adobe platforms. Dwellings and ritual buildings were densely packed inside a single protective wall.

During the Bronze Age, steppelands on the territory of the present-day Uzbekistan were inhabited by livestock-breeding tribes. Their culture is represented by Zamanbaba settlement in the north-west of the Bukhara oasis, dating back to the 3rd – the beginning of the 2nd millennium B. C. Those tribes lived in large semi-dug-outs. They used unornamented, mostly hand-moulded pottery with flat and round bottoms, bronze implements and leaf-shaped flint arrowheads.

Another group of artifacts belonging to the "steppeland bronze" culture with its own peculiarities, was discovered in the lower reaches of the Amudarya river and is known today as the Tazabagyab culture. Artifacts of that type, dating back to the middle and the second half of the 2nd millennium B. C., were found in the Tashkent oasis, the Ferghana Valley, the lower reaches of the Zerafshan river and the Samarkand region.

The early Suyargan culture of Khorezm is characterized by hand-moulded vessels with ball-shaped bodies, painted red and glazed, which is supposed to betray its southern origin.

Artifacts dating back to the second half of the 2nd millennium B. C. found on the territory of Uzbekistan, speak of the culture typical of livestock-breeding and farming tribes, with its hand-moulded pottery: flat-bottomed pots and jugs, and round-bottomed bowls with geometric ornaments. There is also a rich variety of bronze adornments: bracelets and ear-rings, mirrors and beads, often plated with gold.

The study of the final stage in the development of the tribes of the "steppeland bronze" period was based on the materials of the Amirabad culture dating back to the 11th–17th centuries B. C. Excavations on the site of the Yakkeparsan settlement exposed about 20 semi-dugouts. In the centre of each dwelling there was a hearth, surrounded by pits for household purposes. Pottery, implements and animal bones were in abundance. Pottery was hand-moulded, baked on open fire, glazed and ornamented by geometric patterns at the rim. The population was engaged both in farming and livestock-breeding.

At the end of the 2nd and the beginning of the 1st millennium B. C. Central Asia, including what is now Uzbekistan, was the site of major historical events. On the one hand, it was marked by an intensive progress made by steppeland tribes in livestock-breeding, and on the other – by the formation of seats of irrigated farming culture in small oases. At that time, there are formed and developed a number of historical and cultural regions, such as Bactria, Soghdiana and Khorezm, followed by the formation of the Bactrian, Soghdian and Khorezmian ethnoses.

Central Asian peoples, including those that lived on the territory of Uzbekistan at the turn of the 1st millennium B. C., had certain religious notions and beliefs, the most widespread being the worship of fire, regarded as a symbol of divine justice. This is proved by numerous places of worship with remnants of sanctuaries found during archeological excavations on ancient settlement sites in Sarazm, Chust and Djarkutan. Probably, ideological notions formed at that time, became later part of Zoroastrianism. "Mur-gobi", a bird-shaped vessel used in religious rituals, found in a monumental worshipping complex in Djarkutan, is a possible testimony of the fact.

When many Central Asian regions became part of the ancient Iranian empire of the Akhemenids in the 6th–4th centuries B. C., Zoroastrianism assumed the status of state religion.

The first three centuries of the 1st millennium B. C. were marked by the appearance of iron implements and weapons (the Early Iron Age) and Soghdiana (that was how Greeks called Bactria and Soghda). When Macedonians reached Trans-Oxiana, i. e. regions located to the north of the Oxus river, now called the Amudarya, they confined their activities to building outposts and placing garrisons there. Hellenistic culture began to spread in this part of the world only after Alexander the Great had died and the Seleucids who succeeded him, had been seperated. By the middle of the 3rd century B. C., local rulers, who emphasized their discent from the Phil Hellenes, established themselves in Central Asia: Greco-Bactrian in Bactria and Arshakid – on the territory of the present-day South Turkmenia. The involvement of Central Asian southern regions in broad international contacts introduced them to the summits of the Hellenic culture, shedding some of its light onto the neighbouring northern regions-Soghdiana, Shash, Ferghana and Khorezm.

Central Asian Antiquity (4th century B. C.–4th century A. D.) is represented now by an exclusively rich variety of the works of art. Archeological excavations on the territory of contemporary Uzbekistan have discovered a number of big cities of that time: Dalverzin, Termez and Djandavlyattepa in Bactria, Afrasiab and Erkurgan in Soghdiana, Djanbaskala, Ayazkala and Toprakkala in Khorezm, as well as scores of smaller fortified settlements and hundreds of villages. That period witnessed the strengthening of the above-mentioned local dynasties, and starting from the second half of the 2nd century B. C. – the movement of semi-nomadic ethnoses of Sakas and Yueh-chis, who settled on Bactrian lands, and the tribe of Kanguis, who conquered Chach, Soghdiana and Khorezm. By the beginning of our era, the Kushan tribe stood out from among the Yueh-chi ethnos. With time, it created a vast Kushan Empire stretching beyond the Hindu Kush mountain range as far as the Indus and the Ganges rivers in India, which existed till the 3rd century A. D. The other Central Asian regions formally remained under the rule of the amorphous state of Kangui, actually functioning as independent political units and major ethnic migrations. They were described as the movement of "Aryan peoples" in the earliest chapters of Avesta, recounting the foundation of "blessed regions" by the Blessed Ahuramazda. Among those mentioned were the names of the regions that were situated on the territory of the present-day Uzbekistan: Bakhdi (Bactria) – in the middle and upper Amudarya, Suguda (Soghdiana) – between the Kashkadarya, the Zerafshan and the Syrdarya rivers, and Hwarazmia (Khorezm) – in the lower Amudarya. In the 6th century B. C. Bactria and Soghdiana were conquered by the Iranian dynasty of the Akhemenids, and became their satrapies. This speeded up the process of initial urbanization in these regions which had begun earlier. Ancient Bactrian settlement Kizyltepa, Khorezmian settlements Kalalygyr and Kuzeligyr were urban formations, with characteristic fortress walls and moats, citadels, palaces and evidently, temples. The first three settlements had rectangular layouts. Typical features of fortress construction were emerging, such as high walls with inside casemates and corridors, flanked by semi-circular turrets pierced with numerous embrazures. Characteristic layouts, with a system of courtyards and column halls, were worked out, the palace in Kalalygyr being a specimen.

The fact that Central Asian regions joined the Akhemenid Empire, did not change their own way of development, different from that of West-Iranian satrapies. Few objects of art of that period (mostly small forms) have been found so far. Among them is a capital from Sultanwizdag with two protomes of a man-ram, a gem picturing an Akhemenid warrior and stone plaquettes showing animals, from Samarkand, and rhytons shaped like horseheads, from Khorezm. Finds unearthed in the neighbouring Tajikistan (the Amudarya treasure and some objects from the temple in Tahti-Sanghin) proved to be more rich in this respect. All these materials testify to a considerable expansion of cultural contacts with the Middle East.

The years of 330-327 B. C. witnessed important events in Bactriana.

The art of the 1st—3rd centuries shows that Hellenic influence was reconsidered in the context of Asian philosophy. From this point of view, North Bactria produced an especially rich variety of discoveries. The question about the northern boundaries of the Kushan Empire, considered by some researchers to have gone as far as Khorezm inclusive, and arousing many discussions until recently, has been settled with a great degree of certainty. Exploration of mountain ranges to the north of the Amudarya has exposed in mountain gorges the remnants of powerful walls dating back to the Kushan period, that had blocked approaches from Soghdiana. Mountain foothills, and especially valleys, were full of settlements, the study of which produced rich material.

Central Asian culture of the antique period is an outstanding phenomenon. Its flourishing was directly connected with increasing urbanization: the formation and development of cities, built in keeping with strict town-planning principles. This was accompanied by better fortifications and their defensive qualities, regular layouts of living quarters, a higher level of construction technique which ensured the grand scale of monumental architecture, the development of a peculiar Central Asian architectural typology and the formation of a local architectural order.

Architecture of rich houses, palaces and temples was laconic, with their walls smoothly coated with clay, rarely with plaster, and only the front was decorated by a columned porch. Slender wooden columns, sometimes reposing on stone bases, either toroid-shaped or of the Attic type, supported the well-worked ceiling beams. Stone capitals of columns and pilasters, a local version of the Greco-Corinthian order, remained characteristic of Bactrian architecture for a long time. But mostly, decorations of monumental buildings were concentrated in the main interiors — be it a reception hall in a palace, a drawing-room, or a sanctuary in a temple, where painting and sculpture were often combined. Only fragments of them have survived to this day. Local materials were not strong enough to withstand the ruinous effect of time. Adobe walls were coated with clay, the surface was rubbed smooth, and the painting was done directly on it, or on a thin plaster undercoat. The plaster was unreliable and easily went off with time.

The surviving fragments of murals contain ornamental patterns in the framing, and rarely — as separate panels. It is striking how close some of them were to Hellenic-style ornamentation, like a chain of palmettes, for instance, but more often they represented simple motives, like netting or intersecting circles. However, paintings with a plot were prevailing. They showed conventionalized presentations of people taken both from actual life and mythology, typical for the localities and the periods where and when they were painted.

Murals of Bactria — Tocharistan display a

diversity of themes. For instance, fragments from Khalchayan show Hellenic-looking young man and the profile of an obviously Mongoloid–boy. In a Dalverzintepa house, two mural fragments were found: one picturing an expressive profile of a bearded warrior in a helmet, brandishing his sword, and the other–part of the head of his armour-protected horse. Fragments found in another house, showed part of a female face and a large clawed paw, evidently, of a gryphon.

In Dalverzintepa, fragments of murals were found in two small temples dating back to the first centuries A. D. Those were temples of the Great Bactrian Goddess (or may be, two different goddesses. Judging from coins, there were several of them in the Kushan pantheon.). The preserved mural in the northern temple showed a part of a scene with an enthroned goddess with the sacral gesture of her left hand toward a bearded priest and two priestesses holding up three babies as if for blessing. All the characters are expressive, conveying the feelings of those participating in a solemn act.

Small fragments of murals were found in the southern temple: naked female hands, fragments of clothes and ornamental motives. Besides, there was a large fragment of a composition showing part of a horse crupper, part of a male standing in front of it, and a two-tiered balcony, with red-haired women sitting on one tier, and dark-haired women – on the other. What character or what subject, well known to the contemporaries but completely mysterious to us, did the scene show? It was probably taken from local mythology and devoted to the goddes of that temple.

Murals decorated Buddhist monasteries Fayaztepa and Karatepa of the Kushan period, on the site of Old Termez, and a Buddhist temple in Dalverzintepa. All of them incorporate a representation of Buddha sitting in the meditation posture, or walking as the peacher of the truth. They were executed in keeping with the traditions of iconography typical of north-western India. But characters from the Buddha's entourage were more interesting. Such is the archat-ascetic in Karatepa whose expressive profile is adoringly turned toward Buddha. The most striking detail in the Fayaztepa murals are the adorants. The lower part of the composition shows men dressed in wide trousers and close-fitting footwear characteristic of the Kushan costume, and women in long clothers. Another fragment pictures heads of two adorants, one of them very well preserved and showing the profile of a handsome man, with his hair bobbed. He resembles a proud Roman, but his clothes are of a definitely local cut.

Murals of Khorezm are represented by a number of fragments of the 2nd–3rd centuries from the rulers' palace on the Toprak-kala settlement site. One of the most striking features in them is the background. Sometimes it's a landscape: a river (apparently, the Amudarya) represented by conventionalized spirals, with yellowish-red fish, or the reed jungle with a tiger's face. In some other fragments, the background is filled with red hearts. Among the characters are women, possibly from the emperor's harem, a stately youth in an elegant caftan (long tunic with waist girdle), another youth carrying some scrolls, a girl of the common people reaching out for a bunch of grapes, and the bust of a lady harpist over a succulent acanthus leaf.

In a Soghdian temple in Erkurgan (3rd–4th centuries), attention is attracted by a powerful column died deep-red, with an indistinct loop-like black pattern and walking figures clad in white. They look more like silhouettes, in their long and loose clothes, with a flower, a pome-granate and some other object in their hands. They are probably priests performing a rite connected with the worship of the goddes in whose honour the temple was built.

During the antique períod, preference in monumental arts shifted from murals to sculpture. It is represented by marvellous specimens found on the lands of North Tokharistan and Khorezm.

Central Asian sculptors used clay, plaster and sometimes stone, but they preferred plastic clay, which local mountain foothills were rich in. Modelling was done in several layers, beginning with a clay-coated wooden or reed frame, and ending with a carefully done upper layer which was painted. There were "three-quarter" sculptures usually placed in wall recesses, with only the front modelled well, the sides and the back of the sculpture only roughly done, or wall sculptures, with the head and shoulders done in full volume, the trunk-in half volume, and the legs reduced to the high relief. For firmness, cut hair was often added into clay.

In Bactria–Tokharistan, the earliest monumental sculpture dating back to the turn of the millennium, was found in the Khalchayan palace where it decorated the porch and especially – the reception hall. It all glorified the ruling dynasty which belonged to an early Kushan branch started by ruler Herai Sanab, noted for a special group of silver coins. Characters in sculptural compositions were mostly his relatives of the same ethnic type, but their faces were not identical and revealed individual features. They were expressive, and showed not only signs of age, but also general spirituality characteristic of Hellenic sculpture, with an emphatically local interpretation of masculine beauty. There were characters from other ethnic groups too.

Sculptures occupied the top part of three walls. There were several compositions with plots, picturing representation cere-monies and battles. Above, there was a frieze on theatrical and entertainment subjects: boys supporting heavy garlands, with bigger busts of actors, women holding music instruments, satyrs and buffoons in their overhangs. In the centre above the royal couple, there were patron gods– Athene, Hercules and Nike, whose images, borrowed from the Hellenistic art, underwent certain transformations under the influence of local views.

The Khalchayan sculpture represents the secular line in plastic arts. Ritual sculpture was similar in local religions, judging from fragments of clay sculptures from the northern and the southern temples of a Bactrian goddess in Dalverzintepa.

Sculpture in Buddhist monuments of North Tokharistan was different. Two temples were found in Dalverzintepa, inside and outside the city walls (1st–2nd and 3rd–4th centuries).

Some sculptures were made of clay, but most of them had a clay foundation with an inside frame, coated with plaster. Some parts, like delicately curved fingers, curls of hair and ears, were cast in moulds. Sometimes moulds were used for casting standard faces of Buddha and Bodhisattvas. The quality of sculpture is very high, but statues from the outside temple are more individualized, while the inner temple is dominated by canon. Most characters in sculptural compositions imitate the repertoir of the Buddhist plastic art formed in the Gandhare region, north-western India. The expansion of Buddhist colonies brought along sculptors who adhered to strict traditions in the iconography of Buddha and bodhisattvas, and their supernatural entourage: genii, devatas, gandharvas and yakshas. But since in Bactria–Tokharistan there existed a highly developed sculptural school of its own, local sculptors who adopted Buddhism, were also involved in beautifying monasteries and sanctuaries, interpreting models in their own peculiar way and adapting not only details but their entire appearance to the local taste. For instance, in the northern sanctuary, representations of Buddha, judging from the surviving fragments, are canonic, the same as monks' faces. But minor characters in the Buddhist pantheon are executed in the Greek, rather than in the Gandharian traditions, and some devatas are portrayed as youths from the sculpture's milieu. Individual features stand out clearly in representations of Buddha's worshippers from the royal milieu and the court, but they are all deprived of any signs of age or emotion. Compositions are based on the quantitative scale: characters are depicted, depending on their importance, either big (like the ruler or the head of a prince), or small (like ladies from the royal harem), or still smaller (like grandees).

Sculptural adornments of the inside Buddhist temple in Dalverzintepa were concentrated mostly in the courtyard, there were also sculptures in the adjoining rooms and next to a mortar standing near-by. In the central recess there was a huge statue of sitting Buddha, and along the walls were placed smaller Buddhas, and standing bodhisattvas 3 metres high. Their frontal postures and impassive noble faces produced an impression of timeless grandeur. The semi-naked torsos of bodhisattvas were decorated with rich necklaces, bracelets on their arms and ear-rings in their ears, and the lower parts of their bodies were wrapped in uttarias-draped skirts. Showing from beneath them were feet in ornamented sandals. The grandeur of bodhisattvas was emphasized by the small statues of laymen, including a warrior in a helmet, a youth in a turban, a small female torso draped in fabric through which its supple lines were showing.

An outstanding creation of Tokharian-Buddhist sculpture is a widely known frieze of the 2nd century which was a part of a large Buddhist complex on the Airtam settlement site. It showed semi-figures carrying gifts and musical instruments among accanthus leaves. Some of them were executed in the Indian tradition, but others conveyed a different ethnic type, with different headwear and jewelry, probably reflecting the local Tokharian ethnos. In the same complex was found a large stele executed in a typically Indian manner, but only half of it has survived: naked male legs and a woman, standing near-by, her crossed legs draped with clothes, and decorated with ankle bracelets (in this way they usually portrayed Shiva and his wife Parvati). The inscription at the base of the plate in Bactrian letters (based on the Greek alphabet and in Bactria) reads that in the 4th year of the rule of a Kushan king Khuvishka, a certain Shudia was sent to Airtam to restore a delapidated Buddhist complex named after the previous king, Kanishka, and that the inscription itself was made by Mirzad.

The sculptural school of the antique Khorezm is characterized by highly skilled craftsmanship and originality in representing images, probably typical of the Khorezm population. Sculptures were mostly made of clay, more rarely of clay and plaster. A clay male head from Akkala dating back to the beginning of this era, displays energetically moulded features making the face very expressive. A wealth of sculpture of the 2nd—3rd centuries, which survived mostly in fragments, was concentrated in the Toprakkala palace. Its dominating theme is royal dynasties. The Royal Hall is decorated with monumental male sculptures in long robes and wide trousers, and female sculptures in draped clothes. A fixed stare, impassive faces and a peculiar ethnic type of two surviving female heads— everything betrays an original point of view on plastic arts.

The so-called "Hall of red-skinned warriors" was decorated with massive volute-shaped pedestals. In the centre there stood a monumental statue, evidently that of a king, flanked with statues or warriors in original helmets, holding spears. Another hall was dominated by a composition with a sitting ruler, and two Victories crowning him with laurels. In a third hall, evidently meant for feasts, there were statues of dancers and mummers on the walls. In a fourth hall, there was a bas-relief with a protome of a running deer, probably pursued by horsemen which have not survived.

Monumental Soghdian sculpture is known to us only thanks to the above-mentioned temple of the late antique period on the Erkurgan settlement site. Part of a clay head portrays a strangely archaic type of face, resembling Assyrian images. There is a very original terra-cotta plate with the embossed heads of two Soghdiana.

The antique period in the history of Uzbekistan is characterized by flourishing small-form arts: glyptics (gems intaglios and seals), coins, small terra-cotta sculpture and other handicrafts.

Gems with engraved designs are wonderful creations of the antique art of Uzbekistan. Their natural beauty blends with the faultless skill of the craftsman. Under the chiesel of a talented jeweller, these unique creations of nature assumed different forms consonant with the aesthetical norms and ideals of their creator. The captivating purity of their hues and the unimitable beauty of their fascets held people spellbound. Unable to understand their optical, electric and magnetic properties, people attributed some mysterious and magic powers to gems, using them as amulets protecting from evil spirits. In ancient society, gems were used as personal seals by high-ranking persons in their correspondence or official papers. Meanwhile, gems are not only specimens of the glyptic art, they are a source of data on mythology and religion, as they carry images of deities and divine symbols.

Ancient gems carry a variety of images. Along with antropoid representations, they show figures of mythical animals (hopat-shah, gryphons, hippocampi, etc.), or simply animals with symbolic meanings. Some gems represent scenes gravitating toward traditions of the Greek glyptics, executed in a realistic and highly skilful manner, and having amazingly harmonious and perfect forms.

Among the gems of the Late Antiquity, there is a group of specimens that can be referred to the art of the Sassanids. It is widely represented by monuments of decorative and applied arts starting with the 3rd century. An analysis of these works shows that many of them were created by local Soghdian and Bactrian craftsmen.

The antique epoch has left specimens of the art of medal-making with a striking power of realism and a high level of artistic execution. This is true of Greco-Bactrian coins, first of all, portraying basileis and their divine protectors. These coins represent a vast gallery of portraits, sometimes subtly psychological, and sometimes rather rough, but always individual. Craftsmen endeavoured not only to convey the kings' faces true to life, but also to express their qualities as human beings and politicians.

Eutidem's coins show that king as a person of strong will and great purposefulness. The portrait of Demetrius in a helmet shaped like an elephant head reveals regal greatness of a powerful ruler and a successful military leader. Eucratides' coins show a cunning diplomat and a crafty politician. The data we have obtained from manuscripts about a despot and usurper who killed his father to seize the throne, are confirmed by Heliocle's representations on coins showing a power-seeking tyrant who will stop short of nothing to attain his goals.

The reverse side of Greco-Bactrian coins displays a variety of Greek deities, protectors of royal power. Representations of Zeus, Apollo, Dionysus, Hercules, Poseidon, Tyche, Dioscuri, etc., are highly realistic and have a perfect compositional arrangement. In their iconography, they are similar to canonic monumental sculpture of the Hellenistic period, Lysippus' works being closest to them as the prototype.

Representations on Greco-Bactrian coins hint on political events. For instance, Demetrius' helmet shaped like an elephant head, is probably associated with the conquest of India, and the same can be said about Athene driving a chariot drawn by four elephants.

The art of the post-Greco-Bactrian period is manifested best of all in the monuments of the Kushan period, illustrating numerous changes in fine arts on the territory of the present-day Uzbekistan. Coins of the Kushan Empire partly follow the traditions of the previous period. This continuity is manifested in the arrangement of figures, characteristic garments (for instance, himation- a Greek cloak, fastened with a fibula-a clasp- on the breast or shoulders), and accessories (a diadem, a trident). But on the whole, Asian headwear, garments and weapons prevailed. The pantheon of deities changed considerably, now it incorporated more Iranian and Indian gods. Coins began to show scenes representing local rites, for instance, a king near a fire sanctuary.

The craftsmanship of Kushan coins was inferior to that of the previous period. Images were heavier, roughly generalized, and bodily proportions distorted. Absorbing the traditions of the past, the Kushan period became a new landmark in the monetary art.

One of the richly represented crafts characteristic mostly of antique cities, was the terracotta sculpture. Its technology was similar to that of pottery, but at the same time, terracotta reflected the most characteristic features of the plastic art in different historico-cultural regions. The author of the model could be both a sculptor-coroplast or a potter (the latter, evidently, produced extremely simplified anthropoid presentations and animal figurines). The further stages in producing and processing clay statuettes repeated the same operations as in pottery production.

The terracotta sculpture is a valuable source of information on mythology and religion in ancient societies. Representing an art whose works could be produced on a mass scale, coro-plastics reflected various cults popular among urban and rural population.

The terracotta of Uzbekistan, as well as of the entire Central Asian region, is characterized by the frontal posture of the figurines, explained both by specific production, and traditions observed in monumental sculpture, abiding strictly by the frontal principle, subordinated to the architectural peculiarities of temples and palaces. The same principle dominated coroplastics, which contained many replicas of the monumental art.

Central Asian terracotta articles possess none of the well-proportioned forms peculiar of Greek statuettes. The art of each cultural region affected small-form plastic arts, thus promoting the formation of centres of coroplastics based on local tradition in fine arts. Though similar in subjects, the terracotta sculpture of Soghdiana, Bactria and Khorezm differs both in the artistic interpretation of the image and its plastic incarnation. Each region represents a phenomenon reflecting artistic traditions, as well as mythology and religion of the local ethno-cultural community. From this point of view, works of art can supply us with valuable information on how the world outlook of the ancient population was formed and developed. As ritual objects, coroplastic items convey the peculiarities of the religious pantheon and religious notions. Subjects employed in terracotta sculpture, are connected, first and foremost, with cultures taking source from ancient beliefs. Female terracotta figurines with attributes symbolizing water, this life-giving liquid vital for fields, orchards and pastures, go back to the cults of the fertily goddes (the Great Mother, Anahita). Statuettes with fruit and branches of trees in their hands, symbolizing the awakening of nature and abundant harvests, are associated with deities of fertility. The coroplastic items of Soghdiana, Bactria and Khorezm represent whole cycles connected with a local cult of Dyonisus: figurines of naked people holding bunches of grapes and playing musical instruments. The latter's popularity testifies to the importance of music in the life of ancient people, when not a single festivity was held without music. The diversity of musical instruments (harps, and other string instruments, flutes and reed-pipes) betrays a high level of musical culture.

Some terracotta items are connected with the cults of local deities characteristic of certain territories and ethno-cultural communities: a goddess protecting defensive works, or Ardokshita – a goddess, whose name is incorporated in the name of the Oxus river.

Traditions of Hellenistic arts had a different effect on the coroplastics in Soghdiana and Bactria. Some terracotta articles of ancient Soghdiana are similar to Hellenistic characters (heads resembling Alexander the Great, Aretusa, Athene, etc.). In Bactrian terracotta, there stand out female figurines dressed in Greek clothes. Regions like Khorezm, which had no direct contacts with the Greco-Macedonian culture, were less affected by its influence.

As Buddhism began to spread in Central Asia, elements of the Buddhist art began to penetrate into the terracotta sculpture. Bactrian coroplasts began to make Buddha figurines, with the earliest specimens going back to the 1st century A. D. There were also statuettes of bodhisattvas, adorants, yaksas, etc. All these statuettes show graceful body lines, draped either in soft fine-pleated fabric, or in cloaks of coarse fabric, arranged in large regular folds. The figurines of bodhisattvas and other Buddhist characters are decorated with necklaces and gracelets, worn on their wrists and ankles. The zoomorphous Buddhist terracotta is represented by figurines of monkeys and elephants.

The most numerous category of items found during archeological excavations on settlement sites and burial mounds, is ceramics. In farming oases, ceramics of the antique period, made on potter's wheel, is noted for its high quality, diversity and refined shapes. The fine design and graceful lines of pottery testify to high skills and a good taste of craftsmen. Antique pottery is noted for thoroughness at all production stages, from the potter's wheel where the confident hand of the craftsman shapes delicately the future vessel, and to the final stage, when it is painted soft reddish-brown. Hellenistic traditions in pottery were maintained mostly in tableware, but many shapes were characteristic only of Central Asian ceramics, such as goblets on thin stems and household pottery.

Ceramic articles of the Early Antiquity were decorated with plastic ornaments. Only a few specimens of pottery, such as rhytons, were decorated with animal protomos.

Ornaments were characteristic of ceramics for the Kushan period, mostly on the territory of Bactria-Tocharistan. The carefully worked surface was decorated with an embossed ornament showing various plants, zoomorphous and anthropomorthous motives (like palmettes, fruit, solar symbols, or Buddha's feet and hands). Often, pottery was decorated with zoomorphous handles shaped like a monkey, or the head of a ram or some other animal.

Very original was the pottery of the so-called "Kaunchi culture" that existed in the northern regions of the present-day Uzbekistan. It characterizes the lifestyle of semi-nomadic people, bearers of that culture. As a rule, that was hand-made pottery, somewhat coarse and often coated with deep-red engobe. One of its characteristic features was a ram's head on the handle or the body of the vessel. Often, heads of rams and goats decorated hearth supports.

As far as decorations were concerned, Khorezmian pack-flasks-"mustahara", shaped so as to be convenient for transportation, stood apart in the ceramics of the 4th–2nd centuries B. C. On their rounded side walls, relief representations of mythological or symbolic nature were embossed. The compositions comprised mythical animals (for instance, gryphons), horsemen or scenes with a complicated symbolic meaning.

A major place in the antique art was given to bone articles. Specimens showing a high level of bone carving, were represented either by figurines of people, animals and fruit, or engravings on various subjects on polished bone.

The 4th century marks the end of the antique period, but its rich cultural legacy was the fertile soil on which fine arts of the subsequent period developed. In the Early Middle Ages craftsmen often turned to antique themes as to an inexhaustible source of creative experience and inspiration.

The Early Middle Ages were marked by the downfall of large antique states: the Kushan Empire and the Kangui state, as well as mass incursions of nomads, such as Khidarites, Khionites and Ephtalites, into their territories. The Euphtalite state formed in Central Asia in the 4th–5th centuries A. D., very large and strong, succesfully rebuffed pressure from the Sassanid Persia at first. But in the 6th century it clashed with a powerful nomadic state in the north–the Turkic Khaganate, which established control over Central Asia for a period of time. However, it was weakened by internal strife in the 7th century.

The country's feudalization that was taking place at that time, resulted in the formation of a number of semi-independent principalities, large and small, ruled by local dynasties, often subordinated to the Turkic Khaganate only formally. A rapid growth of productive forces of the young society, and its social stratification into the feudal gentry (the dihkans) and the merchants, especially in Soghdiana, boosted the development of cities, crafts and trade. Transit trade routes formed earlier, such as the Great Silk Road, began to change, branch off toward the North, into the zones of contact with nomads. The development of trade necessitated large coin emissions. The Central Asian market was flooded with coins of mint from Tocharistan, Soghdiana, Ustrushana, Chach, as well as Sassanide Iran, Byzantine, Turkic and Chinese coins.

In Central Asian principalities, city crafts were flourishing. Samarkand, Bukhara, and cities in South Soghdiana remained major centres, with cities in Chach developing very rapidly. They were seats of pottery-making, glass-blowing, metal-working and fabric-weaving. Part of this produce was exported.

Beginning with the 6th century, the development of productive forces and increasing cultural requirements overcame obstacles that had prevented people from absorbing cultural legacies of other ethnoses. Not contented with the experience of their forefathers, craftsmen from Soghdiana and the neighbouring principalities began to absorb artistic methods of the peoples of Iran, India, Byzantium, China and nomadic Turks, sharing much of what they knew, in their turn. Such exchange became the symbol of the epoch, it is the clue to diverse phenomena in Central Asian art.

Like in the preceeding antique period, monumental art in that epoch was characterized by the blending of architectural decore with wall-painting and sculpture.

Wall painting was widely spread as interior decoration. Both in public buildings – temples and palaces, and private dwellings – castles and houses of the gentry and well-to-do townsfolk, walls were covered with painted scenes and ornaments from floor to ceiling. The painting was done on specially prepared dry surfaces, first coated with clay and then – with a white mixture. Artists used glue paints and natural gold for gilding.

Brought back to life thanks to archeological excavations in Balalyktepa, Varakhsha, Penjikent, Samarkand and other places, the art of wall-painting has revealed to us a hitherto unknown world of mythical images and epic literature, acquainting us with historical events and religious rites, that conveyed the atmosphere of that time, with its ideal of a hero and moral values, initiating us into the domestic life of representatives of the feudal class, and informing us about their furniture and household items, clothes, outfit and weapons.

Experts single out several local paintings schools, whose features were distinctly manifested both in ritual and Soviet art. Wall paintings in a dihkan castle in Balalyktepa (5th–6th centuries) are referred to the Tokharian school. The walls of a square hall, all painted blue, portrayed men and women at feast, in colourful garments and

with silver goblets in their hand. The bright paints and the very content of the scene are at variance with the static postures and impassive faces, thus giving grounds to suppose that it was connected with the Buddhist iconographic traditions of Tokharistan.

Rich wall-painting of the Soghdian school is represented in a palace in Varakhsha, the capital of rulers of the Bukhara oasis in the 7th–8th centuries. The mural in the central hall pictures an enthroned king (or a deity, as some experts believe) in the guise of a winged camel, among scenes of court life: offerings, hunting and entertainment. The walls in the adjoining room show an epic panorama of a battle: a hero on an elephant is fighting cheetahs and mythical animals.

One can get the best idea of what the Soghdian wall-painting was like in its heyday from murals of Afrasiab, found in luxurious residences of the Samarkand ruler and the court gentry of the 7th–8th centuries. Murals in a large hall are all subordinated to one theme: the arrival of ambassadors from neighbouring principalities and distant regions, bringing gifts to the Samarkand ruler. Very interesting and vivid is a scene from a wedding procession, opened by a princess riding an elephant, and accompanied by ladies of the court, two bearded ambassadors on camelback, a cavalcade of horsemen headed by chief ambassador, a file of sacred birds and a gift horse. Scenes depicting a Chinese princess crossing a river and a leopard hunt, are full of minute details. The culminating point of the entire composition is the scene showing the Samarkand king receiving ambassadors.

The blending of monumental painting and sculpture of that period is mostly represented in the Buddhist art which continued the traditions of the Buddhist antiquity. Sculpture is represented very well by a collection of Buddhist statues in the Kuwa temple in southern Ferghana. They are a fine specimen of the Ferghana art, combining Indian ritual iconography with features of local deities-idols. Such are the figure of a blue-bodied deity and the central statue of Buddha, a three-eyed idol sitting in the frontal posture. It is accompanied by bodhisattvas and demons portrayed with much individuality and expression.

Specimens of secular sculpture were found during excavations of the Kuov-kurgan castle of the 4th—6th centuries in Tocharistan. Male and female statues dressed in light close-fitting garments once formed a composition with a plot. Well-sculptured faces are deprived of any magnificence, but are slightly stiff and only half-smiling. They obviously betray traditions of Buddhist iconography, like wall-paintings in Balalyktepa.

Interiors of secular buildings of the 6th—8th centuries were decorated with wood-, stucco- and rarely, clay-carving.

The surviving wood-carved specimens testify to the high level of development of this art, which worked out its own canons, both in portraying living beings and in ornaments. Their remnants were found among the charred ruins of Afrasiab and in the Djumalaktepa castle in Tocharistan. Wood-carving represented scenes from mythology while architectural details and surfaces were filled with shoots of plants, palmettes, scaly graining and geometric patterns.

The Early Middle Ages witnessed the nascent triumph of stucco-carving. Its earliest specimens show a departure from antique traditions and the emergence of an entirely new style. This is manifested clearly in the interior of the Varakhsha palace, where scenes with plots intermingle with ornamental patterns. Human beings, fantastic creatures (a winged horse, a woman-bird), fish, birds and animals were pictured in scenes with epic or ritual-mythological content. In the ornament, realistic vegetable motives were combined with geometrically arranged vegetable panels, anticipating the richness acquired by this style in subsequent centuries.

Along with monumental arts, the Early Middle Ages saw the flourishing of all kinds of applied and decorative arts, boosted by the development of cities and crafts, specialization of craftsmen and improvement of their skills, as well as by their acquaintance with cultural values of neighbouring countries.

Articles and utensils made of gold, silver and non-ferrous metals were in abundance. They were made by toreutic craftsmen and displayed signs of different schools. Schools of Khorezmian, Tocharian and Soghdian craftsmen scored major successes in the 6th—7th centuries. Proceeding from local traditions formed earlier, toreutic craftsmen were absorbing influences of other schools and outside influences of the Iranian-Sassanid, Byzantine and Turkic arts of nomadic tribes, and adapting them to their own taste.

Among metallic items were volumed pendants, bracteates with stamped designs like on Sassanid coins, various adornments for garments, weapons, valuable insense-burners and supports made in Central Asian principalities. From archeological excavations, iconographic materials and manuscripts we know about almost all types of weapons and protective armour made in Soghdiana, Tokharistan, Chach and Ferghana at that time. Handles of swords and daggers, sheaths, elements of protective armour were sometimes made of precious metals and richly inlaid, this becoming real works of art.

Bone-carvers produced an abundance of utilitarian items, like tabs, handles, chips, as well as unique works of art. Among them were carved cover-plates for bows, executed in the artistic traditions of nomadic peoples but enriched with artistic devices of Central Asian principalities of the early feudal period (like on the representation of an archer in Kashkadarya). A new chapter in volumed bone-carving was revealed by a full set of bone-carved chessmen of the 8th century found in Afrasiab. They represent characters sitting on the throne, on two horsebacks or on an elephant, as well as single horsemen in full armour and unmounted genuflecting warriors.

Archeological finds and wall-paintings present a great diversity of jewelry and carved gems dating back to the early feudal period. Gems-intaglios of semi-precious stones, mostly of cornelian, were widely used in the 5th–6th centuries. Jewelry, sometimes massive and intricate, was a must in the garments of the Central Asian nobility. Coins, bracelets, rings, ear-rings and pendants of gold and silver with inlaid gems were indispensable accessories in the costumes of characters represented in wall-paintings. A lot of jewelry, handicrafts and beads were found during excavations. Along with precious metals, cornelian, emerald, lapis lazuli, mountain chrystal, turquoise, glass and glass paste were widely used. Gems served not only as adornments, people ascribed magic powers to them.

In the Early Middle Ages, fabric-weaving in Central Asian regions turned into a well-developed craft, actively working for the domestic and the foreign market. Along with the production of woollen and cotton fabrics, widely used for making garments, silk began to be spun. The secret of silk-spinning ceased to be China's prerogative. Silk worms began to be bred in Soghdiana, Tokharistan, Ferghana and other regions. Silk spinning and production of silk fabrics began to be set up everywhere in these areas. They were in great demand. Silk and brocade were used for sowing rich garments

well represented in wall-paintings, and making curtains and carpets to decorate sofas and walls. Soghdian silk became widely known within the boundaries of the civilized world.

Silk-spinning, as a craft, borrowed scenes and motives from architectural decore, murals and artistic metalwork, and influenced them too, in its turn. One of the best known centres of silk-spinning was Zandana settlement near Bukhara where they made a fabric famous in the late 6th–7th centuries. In the type of weaving, it was complex serge, and in characteristic patterns- a local version of Byzantine and Sassanid specimens, with typically Soghdian elements. A characteristic feature of these patterns were medallions arranged in rows, and the space between them was filled with vegetable insets. The patterns included representations of animals, mythical creatures and human heads. Some specimens of this fabric can be seen on murals in Afrasiab and Balalyktepa.

The traditional small-form plastic arts, widely spread in Bactria and Soghdiana during the Antiquity, underwent a number of changes both in iconography and the choice of images, thus reflecting ethnocultural and ideological transformations in Central Asian society. Toreutics spread to Chach and Ferghana. Stamped terracotta figurines, touched up with a knife, were still made, though on a smaller scale. Along with them, hand-moulded idols, sometimes with stamped faces, became widespread. All kinds of anthropomorphous and zoomorphous adornments stuck on vessels, insense-burners and ossuaries (depositories for the bones of the dead) became popular, as well as stamped adornments on clay surfaces representing various scenes.

Terracotta figurines initiate us into ideological views of the broad masses. These small statuettes, miniature replicas of sculptures lost by now, give us an idea of what this monumental art was like at that time. Soghdiana remained a major centre of coroplastics. All kinds of statuettes, impressed reliefs and stamped heads found in Samarkand, Rabinjan, Talibarzu, Kafyrkala, Bukhara, Paikend and Erkurgan testify to the high skills of craftsmen. They represent deities worshipped at that time, people taking part in rites and rituals, and characters from the Greek epos and mythology. Such are miniature icons picturing a legendary knight. Male and female heads represent the diversity of the ethnic composition of the population, garments and facial expressions showing various feelings.

Traditions of the Kaunchi-Kangui culture are manifested in insense-burners in the shape of bucrania, with a hollow for burning insense. Lamps and insense-burners with stamped decorations, consisting of a container with a zoomorphic figurine (that of a ram, camel, horse, etc.) were made in Nakhsheb, South Soghdiana. Insense-burners shaped like towers and bowls, were made in Soghdiana, Tokharistan and Chach.

The making of ossuaries became an independent craft in the Early Middle Ages. Called to life by a broad introduction of ossuaries into Central Asian funeral practices, this craft was naturally connected with images, customs and accessories of burial rites and services. Rectangular depositories, with their walls and cone-shaped lids decorated by stamped patterns, showing rites under the arches of a building probably imitating burial places — houses and dahmas, that really existed at that time, were widespread in Soghdiana. Architectural ossuaries, sometimes covered with paintings or relief work, were used in Khorezm. They imitated murals that once decorated really existing temples (for instance, Tokkala ossuaries of the 7th—8th centuries). They represented burial and mourning rites, with the participants tearing

their hair and clothes. In Chach, they used mostly oval and rectangular ossuaries, decorated in a simpler way, with carved or stretched patterns, and topped with figurines of birds, rams, double horse protomes or human faces.

The rapid development of arts in Soghdiana, Tokharistan, Chach, Ferghana and Khorezm was interrupted by the Arab conquest in the 7th—8th centuries, which brought along an alien religion, Islam. Islamic dogmas imposed onto local peoples, eliminated everything in the fine arts connected with representing scenes from life, and channeled them mostly into ornamental and decorative styles.

After a long fight against the Arab conquest, Central Asia became part of the state of Tacharids and then the Samanids under the auspices of the Arab Caliphate. Its capital was Bukhara (9th—10th centuries).

The strengthening of central authority promoted an economic upsurge in the country. The mining of precious and non-ferrous metals boosted the development of the art of jewelry. Pottery-making and glass-blowing were also developing well. Close contacts with nomadic tribes provided raw materials for fabric- and carpet-weaving, and leather-tanning.

The expansion of trade contacts resulted in cultural integration on a vast territory from Central Asia to the Near and Middle East. The new ideology, Islam, played a certain role in drawing various cultures closer together. Recognizing no boundaries between religious and secular functions, it penetrated into all spheres of state authority and economy, science and engineering. The Arabic, and later the Persian language made scientific and cultural achievements accessible to scholars in the vast Euro-Asian region. That was why Central Asian art and architecture, though maintaining their own traditions, joined the single stream of culture of the Arab Khalifate. That process caused tremendous changes in all fields of public and cultural life. The flourishing of cities expanded greatly the circle of consumers of architecture and art, making it more democratic. There appeared new types of public, housing and ritual architecture. The layout of buildings was developing further and became stand-ardized. The use of baked brick made it possible to create sophisticated decorative patterns, which were used for facing and included elements of carved terracotta. Monumental painted compositions and stucco-carving decorated interiors. Geometric and vegetable patterns were widespread, sometimes they were combined with inscriptions in the angular "kufi" script, later substituted with "naskhi".

A sophisticated "girikh" ornament was worked out. It was formed by numerous repetitions of various combinations of simple elements of geometric figures in mirror reflection, arranged along diagonal lines or within a circle. Star-shaped patterns, combined with spiral and other elements, were framed by conventionalized vegetable shoots called "islimi". Coloured background made the carved decore stand out in deep contrast.

Preliminary designing of large stucco-carved panels, with the subsequent stamp-ing of ready-made motives and their combinations on walls, speeded up deco-ration work. Stucco-carving was combined with bright wall-painting against white background, as well as wood-carved columns and porch cornices.

New expressive means were developing in the urban crafts of pottery and metal-work. New forms of tableware and the wide use of glazing opened up unlimited possibi-lities to ornamentalists and calligraphers. Large festive vessels-dishes, basins, bowls and pialas, were painted inside and outside, along the rim. The painting done against snow-white background under transparent glazing included skilfully writ-ten wishes, instructive inscriptions, verses by popular lyrical poets and philosophic dicta. Scenes with plots were included in compositions.

The increasing demand for festive table-ware resulted in narrow specialization of craftsmen and involvement of calligraphers in creative teams as equal partners. Painting was combined with carving, later substituted with stuck-on stamped orna-ments, and then—by modelled decorations which included mirrored compositions.

Glass-blowing, with its more flexible forms, was on the upsurge, and partially supplanted pottery (mugs, goblets, jugs and bowls). Stained glass, inlay, polishing, relief work executed while the glass was still hot, and spiral plaits were used in glass blowing.

The intensive working of gold, silver and copper mines in Maverannahr provided a wider base for toreutics. Jugs, bowls, supports, basins, dishes and vessels for various specific purposes were either embossed or cast, with repoussé work, gold and silver inlay, on copper and tinted background that emphasized the patterns which included motives similar to those employed in pottery.

That was the period of reconsideration and qualitatively new representation of traditional images in applied art. They became components of a new ornamental system, sometimes changing or simply losing the old meaning. Wide use was made of zoomorphous motives and repre-sentations of birds and animals. They were included in glazed and embossed patterns, as well as in stamped and chased compos-itions on vessels and ceramic hearths, glass items, handles of chiragh and copper articles. Among them are both single and symmetric representations and scenes with a plot. One of the most popular motives was the pursuit of wild animals where cosmological notions gradually gace way to a new content, either epic or simply decorative.

Realistic motives sometimes lost their independent meaning, and only separate zoomorphic details (like spread wings, conventionalized fish, etc.) were used as independent themes. The intensive working of mines and the increasing interest in the properties of precious metals promoted the flourishing of jewelry-making with the use of minerals, and the emergence of new social groups of craftsmen, merchants and warriors injected a multi-ethnic stream into that delicate craft. The drilling, cutting and polishing of jems and the working of bone went along with the embossing, casting, stamping, cutting, engraving, beading, filigree and niello work and gilding of metals.

Bracelets and rings, ear-rings and beads, breast and keepsake pendants, adornments for clothes and books, miniature toilet articles and rare types of weapons – the art of jewelry penetrated into all spheres. Semi-precious stones were believed to have magic properties, like the ability to bring good luck and prosperity, prevent misfortune and diseases, etc.

A deep meaning was expressed in decore, in which magic patterns were intertwined with inscriptions expressing Muslim wishes and invocations. This goal was achieved by graphical representations and sculptured figurines of mythical snakes and animals, human beings and polymorphous images, like women-birds, sirins and humayuns. Decorations in the form of separate objects also had their own meaning. The use of geometrical figures: polyhedral prisms and spheres, semispheres and rombuses, as well as sculptured and graphic ornaments, combined with tinted background, imparted a harmonious and finished look to handicrafts.

The art of jewelry became widespread, so along with skilful works one could meet cheaper objects, in which bronze replaced precious metals, technology was simpler, and semi-precious stones, with their magic meaning, were substituted with painted paste or inlaid glass.

Among the well-developed crafts were decorative needlework, fabric-and carpet-weaving. The latter was widespread not only in large cities but also in many settlements in Maverannahr.

Oriental geographers praized highly Central Asian weavers. They mention fabrics from Samarkand and Rabinjan, Vardana and Dabusy, Khorezm and Shash, but are especially rapturous about Benaket fabrics. Oriental manuscripts contain ravished mention of Vedari fabric, from which all dignitaries and kings made their clothes, buying it at the same price as brocade.

At the turn of the 11th century, the state of the Samanids fell under the rule of new dynasties: the Gaznevids – to the south of the Amudarya river, and the Karakhanids– to the north. Very soon, the Karakhanid state split into the Eastern and Western Khaganates, with Samarkand as the capital of the latter. At the end of the 11th century the Karakhanids were overridden by the Seljukids and then – by the Karakhitais (or Khidans), a people of the Mongolian extraction who came from the Far East. Eventually, the Anushteginids, rulers of Khorezm, who became stronger in the second half of the 12th century, subordinated the entire Central Asia in the early 13th century. In contrast to the Samanids, who were of Tajik origin, the subsequent dynasties, with the exception of Khidans, were Turkic.

So, the period from the 11th till the early 13th century was a politically unstable period in Central Asia, full of endless wars. Nevertheless, cities were growing rapidly, and trade, crafts, economy and culture were developing further.

Architecture scored major successes, especially in the field of decore. In addition to the types that had existed before, the 11th—12th centuries added cared terra-cotta with its marvellous diversity of geometrical, vegetable and epigraphic patterns. At first monochrome, it was enriched by coloured glazing in the 12th—the early 13th centuries. That was the time when the first glazed tiles appeared. Stucco-carving became much more sophisticated. Colours began to be used in it too: some elements in the ornament were painted yellow, red and blue.

The 11th—12th centuries were characte-rized by a levelling of cultural levels though there was still a difference between the town and the country side. From this point of view, a significant example is provided by Shakhjuvar settlement (Tashkent region) situated high in the mountains, in the upper reaches of the Pskem river. Magnificent carved terracotta articles found there, could rival those from Samarkand.

A lot of new features were observed in the most widespread art—ceramics. The epigraphic ornament of glazed tableware, represented by many excellent specimens in the preceeding period, was simplified beyond recognition, and then disappeared altogether. Another undeniable tendency was a gradual simplification of ornamental patterns in glazed ceramics, especially noticeable by the end of the pre-Mongolian period, when the quality of glaze also be-came worse. On the whole, a lower quality of glazed tableware was explained by the growing demand, which brought along a tendency to make production cheaper. Earthenware, mostly covered with blue glaze, was a novelty. It was not characteris-tic of the entire territory of the present-day Uzbekistan, being typical only of Soghdiana. Faience was used for making not only tableware but also cheap adorn-ments, such as beads, pendants, etc.

During the Karakhanid period, unglazed painted pottery, represented most often by jugs, became rather widespread. Ferghana jugs called "murg-obs", with zoomorphic bodies, were especially interesting. Ves-sels with stamped ornaments were richly decorated. These included scenes of pursuit of wild animals, representations of animals and birds vegetable shoots and inscriptions made very skilfully in the "naskh" script.

Glass utensils were produced on a mass scale. According to Beruni, it was cheap because of its abundance. During the Karakhanid period, the same types of glassware were produced as before. Window-panes shaped like discs of various diametres became very popular. Some-times they were made of stained glass of yellow, blue and manganese-red colours. Window-panes were mounted into stucco-latticework called "panjara", which was sometimes painted.

Metallic objects of the 11th—12th centu-ries display a great diversity. Probably, it was due to the shortage of silver that engulfed vast expanses of the Muslim world at that time and resulted in almost complete disappearance of silver coins, that metallic articles in Central Asia were made of bronze and copper. They included large and small cauldrons, basins, bowls, trays, jugs, small chests, lamps and other objects. Their ornaments, sometimes modest and sometimes luxuriant, included vegetable and geometrical patterns along with well-wishing inscriptions and stylized representations of animals, birds, fish and other living beings, often mythical ones: sphinxes, lion-gryphons, women-birds and dog-birds (canmurre).

Articles made of soft and heat-resistant soapstone can aslo be listed among objects of applied art. It was good for making various articles, from lamps to cauldrons. Incidentally, it was believed that food cooked in such a cauldron, was especially tasty.

Though the ban on representing animals and living beings in general was laid as far back as the end of the 8th century, even at the beginning of the 12th century it was not observed very strictly, at least not in all crafts. Such representations appeared not only on objects of applied art but also on coins, used like official documents of a kind in the Medieval Islamic Orient. While Samanid coins bore only religious inscriptions, the names of rulers and rarely, ornamental patterns, on some Karakhanid and Seljukid coins there were representations of animals: elephants, rams, hares, fish, birds of pray, cocks and even dragons.

Karakhanid coins were much more ornamental than those of the Samanids. On them, inscriptions were often taken into ornamented cartouches. And inscriptions themselves were beautiful and refined, often written in the ornamental "kufi" script.

On the whole, Central Asian art of the 11th–the early 13th centuries was characterized by the emergence of a number of new features and trends. Probably, some of them were connected with the increasing role of the Turks, and the absorption of some patterns and ideas, borrowed from them, for instance, zoomorphic themes.

The Mongolian and Tatar invasion at the beginning of the 13th century impeded cultural development in Central Asia. It was only at the end of the century, when its destructive consequences were overcome and economy restored, that construction, crafts and trade began to develop further.

A special role was played by Khorezm, through which lay the main trade and political route that connected the Volga regions conquered by the Golden Horde with Central Asia. The capital city of Urgench (Known today as the Kunya-Urgench settlement site in the Turkmen SSR) was thriving. Its own architectural school which left several masterpieces, was formed then. Construction was also on the upsurge in cities of Maverannahr. Architectural monuments of that period in Bukhara and Samarkand were noted by new compositions and especially architectural decore, with widely employed glazed coloured bricks, and carved and glazed terracotta tiles in facing, and sophisticated vegetable patterns in ornaments. Everyday pottery also made progress, changing the general style of its painting, as compared to the pre-Mongolian period. It became finer, and employed black, light-blue and sometimes dark-blue colours on the white engobe or contained black patterns under light-blue glaze.

The last quarter of the 14th century was marked by a sudden upsurge in the political and cultural life of Maverannahr. That was the time when Tamerlaine was making his swift ascent on the political arena. By conquering vast territories, he created a great empire stretching from Syria and Iraq to North India. From all over that empire, countless riches and thousands of skilful craftsmen were pouring into Central Asia. Thanks to cooperation of this wealth of creative forces, Central Asian culture soared to unprecedented heights at the expense of sack and pillage of many countries and regions. Grandiose construction was carried out in Maverannahr cities: Samarkand, Shakhrisiabz and Bukhara, on a scale never known in the Middle East. The magnificence of decore matched the grandeur of architectural forms. Façades were faced with different kinds of tiling: ornamental glazed bricks, multi-coloured majolica and carved inlay, as well as by carved marble, while interiors were dominated by wall-painting with the abundance of gold. Unique harmony of vegetable, geometrical and epigraphical ornaments, the last one consisting of many rows of the elegant ligatured script "suls", was achieved there.

From Tamerlaine's epoch, creative activities extended into the first half of the 15th century, the period of rule of his learned grandson Ulughbek. It was followed by a gradual abatement, as the centre of political and cultural life shifted from Samarkand to Herat. But the creative thought lived on. Though construction work shrinked considerably, the second half of the 15th century was marked by certain progress in that field, and in the field of architectural decore. A new type of dome-vaulted structures appeared, along with a special technique of wall-painting, "kundal", with gilded relief patterns resembling rich brocade.

Crafts achieved a high degree of perfection during the period of the Timurids. A Spanish ambassador Ruy Gonzales de Clavijo who visited Samarkand during the rule of Tamerlaine, described felt covers and carpets in festive tents and marquées, which struck him by their richness and diversity of patterns. We can judge about them only from representations on miniatures. Among the surviving objects or art of the Timurid period we can name copper-chased articles, ceramics and rich manuscripts, decorated by calligraphers, miniature-painters, illustrators and book-binders.

A set of articles found by archeologists in a copper-smith's workshop near Registan in Samarkand, included jugs, lamps and supports of various shapes, decorated in diverse ways. As compared to the earlier period, their ornamentation was more refined, and at the same time more minute, with predominentaly stylized vegetable patterns densely covering the surface. The craft of armourers had also something to do with toreutics. They not simply made helmets, shields, sheaths and handles of swords but also embellished them. It is known that there was an armoury in the Tamerlaine's citadel in Samarkand, but so far, experts have failed to single out from the specimens found there, those dating back to the Timurid period.

Everyday glazed pottery underwent considerable changes in the 15th century. They were largerly due to a passion for the Chinese porcelain of the Ming dynasty, with cobalt painting. Central Asian craftsmen never discovered the secret of the china-ware made of kaolin. But they worked out its imitation on a silicate foundation—kashin. And though it is not as compact as porcelain, kashin pottery, thanks to its porous structure, absorbs glaze deeply, and cobalt spreads about softly, creating surface texture identical to porcelain. In this case there are widely used Chinese motives—twin peaches, "the mushroom of immortality", stylized clouds, meanders and other images, to the symbolic meaning of which local craftsmen evidently attached no importance. With time, the borrowed patterns disappeared, but the main thing that remained was light brush painting, unrestrained by strict geometrical arrangement, Simultaneously, there existed pottery with black painting under a bright blue glaze, and uniform rich green glaze. Eye-witnesses wrote about murals in Tamerlaine's palaces in Samarkand, showing scenes of battles, hunting and feasts, as well as his own portraits and those of his wives and off-spring. And Ulughbek's observatory in Samarkand contained representations of celestial bodies and signs of the zodiac, apparently similar to those found in Oriental treatises on astronomy where they were represented by anthropoid and zoomorphous images. All those wall-paintings vanished in the course of time, but miniatures have survived.

An author of the 15th century writes that under the Tamerlaine there was a royal workshop in Samarkand where calligraphers copied manuscripts, and other craftsmen embellished them. Among them were miniature-painters, headed by an outstanding master Abdalhai from Baghdad. By now, a number of miniatures of the Samarkand origin have been singled out from among the rich legacy of the Timurid period, but most of them are in foreign collections and cannot be displayed here.

After the downfall of the Timurid dynasty, torn apart by contradictions and internal strife, the great achievements of that culture were taken in and developed by the subsequent stage in Central Asian history.

During the period of great geographical discoveries, when sea communication routes were established between East and West, Central Asia ceased to play its formerly important role in trans-continental trade contacts. At the turn of the 16th century, nomadic Uzbek tribes invaded Maverannahr. The relatively easy and bloodless conquest was only a political consequence of a deep socio-economic crisis in the former Timurid empire. The change of dynasties and the country's unification seemed to have given fresh impetus to the development of economy, culture and arts in the 16th–17th centuries. But it was only a suspension of the tendency toward further decline.

In the field of ideology, the most conservative religious forms were gaining a firm foothold. In architecture, the pompous forms of the Timurid epoch gave way to simpler and cheaper constructions. Specimens are provided by the Kalyan Mosque and the Abdulazizkhan Madrasah in Bukhara, the Sheibanikhan, the Mihr-Sultan-khanym, the Shir-Dor and the Tyllia-Kari Madrasahs in Samarkand. Nevertheless, the majestic forms of most building of that period, concentrated in the new capital – Bukhara, upon closer examination, stood at variance with their simplicity, lack of

precision in symmetry and even careless exterior decoration. Four-colour majolica tiles with indistinct patterns substituted refined carved inlay. Along with the construction of a large number of mosques, madrasahs, and honako(monasteries), civilian projects were built, such as dams, river bridges, water reservoirs, fortified coaching inns(rabats) along trade routes, dome-shaped shops(tims), and baths, designed to support the main tendencies in the declining economy of the state. It was a rational feature that there existed standard projects, designed to make construction quick, cheap and practical.

Central Asian architecture of the 16th–17th centuries not only absorbed the achievements of the preceeding centuries, but also deepened them considerably, solving complex problems in conditions of an economic slump.

City crafts were making further progress. Miniature painting and paper production, mostly serving the upper classes, were well developed. Central Asian textiles were in great demand, many of them were exported to Moscow and Siberia. Weapons, along with textiles were a major export item. Bukharian weapons were very famous, Sabres, knives, armour, shields, bows and helmets were decorated with gems and plated with gold and silver.

Pottery, which was the most widespread craft, as well as architectural ceramics, fell behind the high standards achieved during the previous epoch. At first, craftsmen continued the tradition of monochrome blue painting on white background, imitating chinaware. But zoomorthous and anthropomorphous elements gradually disappeared, vegetable patterns became stylized and paints diffused. By the end of the 17th century, these processes intensified: kashin articles disappeared almost completely, glaze became much worse, and ornaments were executed in manganese and blue paint, or scratched. Vegetable patterns became stylized on a mass scale, and were often reproduced on pottery in their new form–basma (stamped star with many rays). All these factors, manifested in pottery more than in any other craft, show that ceramists simplified their articles to make them as cheap as possible. The 18th century was a period of an acute social, economic and cultural crisis in the entire Central Asia. This land was painfully entering the New Times. That opened another chapter in local arts, not represented at this exhibition.

ЭПОХА БРОНЗЫ

BRONZE EPOCH

60

1. Пестик ритуальный. Камень (андезитовый порфирит). Обточка, шлифовка. 8 × 2,8*. Имеет фаллическую форму. Миршаде. Х–IX вв. до н. э. ИИ.
Лит.: Пугаченкова, 1973, с. 78, рис. 3.

1. Ritual pestle. Stone (andesitic porphirite). Turning, polishing. 8 × 2, 8*. Phallus-shaped. Mirshade. 10th–9th cc. B. C. IAR.
Lit.: Pugachenkova, 1973, p. 78, Fig. 3.

1

2. Ступка ритуальная. Камень (андезитовый порфирит). Обточка, шлифовка. В. 5,5. Д. 5. Катушковидная биконическая форма на цилиндрическом стержне. Миршаде. Х–IX вв. до н. э. ИИ.
Лит.: Пугаченкова, 1973, с. 78, рис. 3.

2. Ritual mortar. Stone (andesitic porphirite). Turning, polishing. H. 5.5. D. 5. Reel-shaped biconic form on a cilindrical rod. Mirshade. 10th–9th cc. B. C. IAR.
Lit.: Pugachenkova, 1973, p. 78, Fig. 3.

2

3. Скульптура. Фрагмент.
Камень. Резьба, полировка. В. 10.
Голова мужчины со стилизованными чертами лица. Короткие волосы разделены на пряди, глаза переданы валиками век, рот — горизонтальной чертой. Ноздри показаны небольшими насечками. Миршаде. Х–IX вв. до н. э. ИИ.
Лит.: Пугаченкова, 1973, с. 78, рис. 1, 2.

3. Sculpture. Fragment. Stone. Carving, polishing. H. 10.
Masculine head with stylized features. Short hair parted into locks, eyes delineated by eyelids, the mouth – by a horizontal line. Nostrils shown by small incisions. Mirshade. 10th–9th cc. B. C. IAR.
Lit.: Pugachenkova, 1973, p. 78, Figs. 1, 2.

* Размеры даны в сантиметрах.   3

* All dimensions are in centimetres.

4. Горшок
Глина, обжиг. Лепка,
лощение. Роспись.
В. 17,7. Д. 10.
Дальверзин. XI–X вв. до
н. э.
МИНУ, 92/8.

4. Pot.
Clay, kilning. Moulding, pol-
ishing. Painting.
H. 17.7. D. 10.
Dalverzin. IIth–10th cc. B. C.
MHPU, 9218.

4

5. Горшок.
Глина, обжиг. Лепка,
лощение. Роспись.
В. 15,5. Д. 11,5.
Чуст. XI–X вв. до н. э.
МИНУ, 259/37.

5. Pot.
Clay, kilning. Moulding, pol-
ishing. Painting.
H. 15.5. D. 11.5.
Chust. 11th–10th cc. B. C.
MHPU 259/37.

5

6. Схематизированная женская статуэтка.
Глина, лепка.
15,3 × 4,8.
Заманбаба. Конец 3 – начало 2-го тыс. до н. э.
МИНУ, 174/273.

6. Stylized female statuette.
Clay, moulding.
15.3 × 4.8.
Zamanbaba. Late 3rd–early 2nd mil. B. C.
MHPU, 174/273.

6

САПАЛЛИТЕПА И ДЖАРКУТАН

Городища эпохи бронзы (середина 2 – начало 1-го тыс. до н. э.) на юге Узбекистана. В это время здесь формировались высокоразвитые культуры протогородского типа племен древних земледельцев.

Сапаллитепа расположено на слиянии двух саев и представляет собой квадратную в плане крепость со стороной 82 м. Мощные стены и обводные помещения образуют единую систему фортификации. Внутри городских стен располагались восемь жилых массивов. Сапаллитепинцы хоронили своих умерших на самом поселении, часто под полами комнат. Вскрыто 138 погребений.

SAPALLITEPA AND DJARKUTAN

Settlement sites of the Bronze Age (middle of the 2nd–beginning of the 1st millennium B. C.) in the south of Uzbekistan. At that time a highly developed culture of the proto-urban type was formed there by ancient farming tribes.

Sapallitepa is located at the confluence of two sais (rivers drying up in summer). It is a square fortress 82 by 82 metres. Strong walls and perimetrical premises form a single fortification system. Inside the city walls there were eight residential areas. Residents of Sapallitepa buried their dead inside the fortress, often under the floor of the rooms. One hundred and thirty eight such burials were uncovered.

Поселение Джаркутан занимает площадь около 50 га и представляет собой крепость с примыкающим к ней с юга огромным массивом жилой застройки нерегулярного типа. Открыто монументальное здание, очевидно, культового назначения. В отличие от Сапаллитепа, могильники Джаркутана вынесены за пределы жилой застройки. Общая площадь могильников – 20 га, исследовано более 700 погребений.

Найденные на обоих памятниках ремесленные изделия и предметы декоративно-прикладного искусства свидетельствуют о высоком уровне культуры местного земледельческого населения.

The settlement of Djarkutan occupies an area of about 50 hectares. It is a fortress with an adjoining large residential area of an irregular type in the south. A monumental building, probably a shrine, was uncovered there. In contrast to Sapallitepa, burials of Djarkutan are located outside the residential area. Their total area is 20 hectares. Over 700 burials have been studied.

Artifacts, including objects of decorative and applied arts, found on both sites, testify to a high cultural level of the local farming population.

7. Чаша со сливом. Глина, обжиг. Формовка на гончарном круге. В. 9. Д. 10. Джаркутан. XVII–XVI вв. до н. э. МИКИНУ, А-517-163. Лит.: Аскаров, 1973, табл. 21, 12.

7

7. Bowl with a mouth. Clay, kilning. Moulding on the potter's wheel. H. 9. D. 10. Djarkutan. 17th–16th cc. B. C. MHCAPU, А-517-163. Lit.: Askarov, 1973, tabl. 21, 12.

8. Кубок на ножке. Глина, обжиг. Формовка на гончарном круге. В. 17,5. Д. 11. Сапаллитепа. XVII–XVI вв. до н. э. МИКИНУ, А-433-45. Лит.: Аскаров, 1977, табл. XLIX, 10–18.

8

8. Goblet on the stem. Clay, kilning. Moulding on the potter's wheel. H. 17.5. D. 11. Sapallitepa. 17th–16th cc. B. C. MHCAPU, А-433-45. Lit.: Askarov, 1977, tabl. XLIX, 10–18.

9. Кубок на ножке.
Глина, обжиг. Формовка
на гончарном круге.
В. 22. Д. 12,5.
Джаркутан. XVII–XVI вв.
до н. э.
МИКИНУ. А-517-135.
Лит.: Аскаров, 1977, табл.
XLIX, 10–18.

9. Goblet on the stem.
Clay, kilning. Moulding on
the potter's wheel.
H. 22. D. 12.5.
Djarkutan. 17th–16th cc.
B. C.
MHCAPU, A-517-135.
Lit.: Askarov, 1977, tabl.
XLIX, 10–18.

9

10. Горшок с трубча-
тым сливом.
Глина, обжиг. Формовка
на гончарном круге, го-
ризонтально-полосчатое
лощение.
В. 12. Д. 8,5.
Сапаллитепа. XVII–XVI вв.
до н. э.
МИКИНУ, А-433-681.
Лит.: Аскаров, 1973, табл.
20, 23.

10. Pot with tubular
mouth.
Clay, kilning. Moulding on
the potter's wheel, horizon-
tal linear polishing.
H. 12. D. 8.5.
Sapallitepa. 17th–16th cc.
B. C.
MHCAPU, A-433-681.
Lit.: Askarov, 1973, tabl. 20,
23.

10

11. Кувшин.
Глина, обжиг в восстано-
вительной среде. Фор-
мовка на гончарном круге.
В. 17. Д. 19,5.
Сапаллитепа. XVII–XVI вв.
до н. э.
МИКИНУ, А-433-737.
Лит.: Аскаров, 1977, табл.
XXIII, 7.

11. Jug.
Clay, kilning in restoration
medium. Moulding on the
potter's wheel.
H. 17. D. 19.5.
Sapallitepa. 17th–16th cc.
B. C.
MHCAPU, A-433-737.
Lit.: Askarov, 1977, tabl.
XXIII, 7.

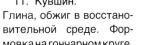

11

12. Чаша.
Глина, обжиг. Формовка на гончарном круге, лощение.
В. 11,5. Д. 19,5.
Сапаллитепа. XVII–XVI вв. до н. э.
МИКИНУ, А-433-184.
Лит.: Аскаров, 1973, табл. 20, 15.

12. Bowl.
Clay, kilning. Moulding on the potter's wheel, polishing.
H. 11.5. D. 19.5.
Sapallitepa. 17th–16th cc. B. C.
MHCAPU, A-433-184.
Lit.: Askarov, 1973, tabl. 20, 15.

12

13. Ваза на высокой подставке.
Глина, обжиг. Формовка на гончарном круге.
В. 21. Д. резервуара 13,3. Д. подставки 36,5. Сочетание вазы с блюдом. Высокая цилиндрическая ножка опирается на широкое блюдо.
Джаркутан. XV–XIV вв. до н. э.
МИКИНУ, А-517-409.
Лит.: Аскаров, 1983, табл. XXX, 14.

13. Vase on the high support.
Clay, kilning. Moulding on the potter's wheel.
H. 21. D. of vase 13.3. D. of support 36.5.
Combination of vase and dish. High cylindric support stands on the large dish.
Djarkutan. 15th–14th cc. B. C.
MHCAPU, A-517-409.
Lit.: Askarov, 1983, tabl XXX, 14.

13

14. Кувшин.
Глина, обжиг в восстановительной среде. Формовка на гончарном круге, вертикально-полосчатое лощение.
В. 18. Д. 10,5.
Джаркутан. XV–XIV вв. до н. э.
МИКИНУ, б/н.
Лит.: Аскаров, 1977, табл. XLVII, 16.

14. Jug.
Clay, kilning in restoration medium. Moulding on the potter's wheel. Vertical linear polishing.
H. 18. D. 10.5.
Djarkutan. 15th–14th cc. B. C.
MHCAPU, w/n. (without number)
Lit.: Askarov, 1977, tabl. XLVII, 16.

14

15. Ваза на высокой ножке.
Глина, обжиг. Формовка на гончарном круге.
В. 27. Д. 25.
Джаркутан. XV–XIV вв. до н. э.
МИКИНУ, 517–433.
Лит.: Аскаров, 1977, табл. LXIV.

15. Vase on the high stem.
Clay, kilning. Moulding on the potter's wheel.
H. 27. D. 25.
Djarkutan. 15th–14th cc. B. C.
MHCAPU, 517–433.
Lit.: Askarov, 1977, tabl. LXIV.

15, 17

16. Ваза на высокой ножке.
Глина, обжиг. Формовка на гончарном круге.
В. 26. Д. 24.
Джаркутан. 2-е тыс. до н. э.
МИКИНУ, А-517-57.
Лит.: Аскаров, Абдуллаев, 1983, табл. XXV.

16. Vase on the high stem.
Clay, kilning. Moulding on the potter's wheel.
H. 26. D. 24.
Djarkutan. 2nd mil. B. C.
MHCAPU, A-517-57.
Lit.: Askarov, Abdullaev, 1983, tabl. XXV.

17. Кувшин.
Глина, обжиг. Формовка на гончарном круге.
В. 20,5. Д. 9,5.
Джаркутан. 2-е тыс. до н. э.
МИКИНУ, А-517-648.

17. Jug.
Clay, kilning. Moulding on the potter's wheel.
H. 20.5. D. 9.5.
Djarkutan, 2nd mil. B. C.
MHCAPU, A-517-648.

16

18. Кувшин.
Глина, обжиг. Формовка на гончарном круге. Процарапывание.
В. 28. Д. 13,5.
По плечикам процарапанный орнамент.
Джаркутан. 2-е тыс. до н. э.
МИКИНУ, А-517-465.
Лит.: Аскаров, 1977, табл. LV.

18. Jug.
Clay, kilning. Moulding on the potter's wheel. Scratching.
H. 28. D. 13.5.
Ornament scratched on shoulders.
Djarkutan. 2nd mil. B. C.
MHCAPU, A-517-465.
Lit.: Askarov, 1977, tabl. LV.

18

19, 20

19. Bowl.
Clay, kilning. Moulding on the potter's wheel.
H. 6. D. 15.
Djarkutan. 2nd. mil. B. C.
MHCAPU, A-517-946.
Lit.: Askarov, 1977, tabl. LXV.

20. Vessel.
Clay, kilning. Moulding on the potter's wheel.
H. 13. D. 10.
Djarkutan. 2nd mil. B. C.
MHCAPU, A-517-560.
Lit.: Askarov, 1977, tabl. LI, 7;
Askarov, Abdullaev, 1983, tabl. XXIII, 6.

19. Чаша.
Глина, обжиг. Формовка на гончарном круге.
В. 6. Д. 15.
Джаркутан. 2-е тыс. до н. э.
МИКИНУ, А-517-946.
Лит.: Аскаров, 1977, табл. LXV.

20. Сосуд.
Глина, обжиг. Формовка на гончарном круге.
В. 13. Д. 10.
Джаркутан. 2-е тыс. до н. э.
МИКИНУ, А-517-560.
Лит.: Аскаров, 1977, табл. LI, 7;
Аскаров, Абдуллаев, 1983, табл. XXIII, 6.

21. Сосуд в виде птицы (мург-оби).
Глина, обжиг. Формовка на гончарном круге, лепка. Процарапывание.
28 × 22,5.
Крылья выполнены в виде уплощенных налепов, срезанных по краю, поверхность покрыта процарапанными параллельными линиями, верхняя часть передана в виде горловины сосуда.
Джаркутан. Храм. XI–X вв. до н. э.
МГ.

21. Bird-shaped vessel (murg-obi).
Clay, kilning. Moulding on the potter's wheel, modelling. Scratching.
28 × 22.5.
Wings are executed in the form of flat plates cut along edges, surface is covered with scratched parallel lines, the top part is shaped like vessel neck.
Djarkutan. Temple. 11th–10th cc. B. C.
MG.

21

22. Скульптура.
Глина. Лепка.
В. 45.
Руки прижаты к груди, маленькая головка посажена на длинную массивную шею. Черты схематизированы, нос выделен защипом, глаза — в виде углублений с ногтевидными вдавлениями. Поза идола явно повторяет позу погребенных (кенотаф).
Джаркутан. 2-е тыс. до н. э.
МГ.

22

22. Sculpture.
Clay, modelling.
H. 45.
Arms are pressed to the breast, small head is placed on the long massive neck. Stylized features: nose nipped, eyes shaped by nail impressions. The pose of the idol obviously reproduces the pose of the deceased (kenotaf).
Djarkutan, 2nd mil. B. C.
MG.

23. Чаша со сливом.
Бронза. Литье.
В. 3. Д. 6,3.
Сапаллитепа. XVII–XVI вв. до н. э.
МИКИНУ, А-433-1793.
Лит.: Аскаров, 1973, с. 84; Аскаров, 1977, табл. XXVII, 16.

23

23. Bowl with the mouth.
Bronze, Casting.
H. 3. D. 6.3.
Sapallitepa. 17th–16th cc. B. C.
MHCAPU, А-433-1793.
Lit.: Askarov, 1973, p. 84. Askarov, 1977, tabl. XXVII, 16.

24. Сосуд.
Бронза. Литье.
В. 10,5. Д. 10,5.
Сапаллитепа. XVII–XVI вв. до н. э.
МИКИНУ, А-433-1794.
Лит.: Аскаров, 1977, табл. XXVII, 2.

24. Vessel.
Bronze, Casting.
H. 10.5. D. 10.5.
Sapallitepa. 17th–16th cc. B. C.
MHCAPU, А-433-1794.
Lit.: Askarov, 1977, tabl. XXVII, 2.

24

25. Сурьмадон (сосуд для косметики).
Бронза. Литье.
В. 7,5. Д. 3,5.
Сапаллитепа. XVII–XVI вв. до н. э.
МИКИНУ, А-433-1357.
Лит.: Аскаров, 1973, табл. 32, 2–4.

26. Сурьмадон (сосуд для косметики).
Бронза. Литье.
В. 8,3. Д. 5.
Сапаллитепа. XVII–XVI вв. до н. э.
МИКИНУ, А-433-1358.
Лит.: Аскаров, 1973, табл. 32, 2–4.

25. Surmadon (vessel for cosmetics).
Bronze, Casting.
H. 7.5. D. 3.5.
Sapallitepa. 17th–16th cc. B. C.
MHCAPU, A-433-1357.
Lit.: Askarov, 1973, tabl. 32, 2–4.

26. Surmadon (vessel for cosmetics).
Bronze. Casting.
H. 8.3. D. 5.
Sapallitepa. 17th–16th cc. B. C.
MHCAPU, A-433-1358.
Lit.: Askarov, 1973, tabl. 32, 2–4.

25, 26

27. Зеркало.
Бронза. Литье. Ковка, пайка.
Д. 14, Дл. ручки 11.
Ручка из параллельно спаянных стержней.
Сапаллитепа. XVII–XVI вв. до н. э.
МИКИНУ, А-433-160.
Лит.: Аскаров, 1977, табл. XXXVII, 3.

27. Mirror.
Bronze. Casting. Forging, soldering.
D. 14. L. of handle 11.
Handle formed by parallel soldered rods.
Sapallitepa. 17th–16th cc. B. C.
MHCAPU, A-433-160.
Lit.: Askarov, 1977, tabl. XXXVII, 3.

27

28. Зеркало.
Бронза. Литье.
Д. 16,9.
Ручка в виде подбоченив-
шейся женской фигуры.
Сапаллитепа. XVII–XVI вв.
до н. э.
МИНУ, б/н.
Лит.: Аскаров, 1977,
табл. XXXVII, 6.

28. Mirror.
Bronze. Casting.
D. 16.9.
Handle shaped like female
torso with arms akimbo.
Sapallitepa. 17th–16th cc.
B. C.
MHPU, w/n. (without
number)
Lit.: Askarov, 1977, tabl.
XXXVII, 6.

28

29. Шпилька.
Бронза. Литье.
Дл. 19.
Навершие в виде фигур-
ки козла (азиатский му-
флон), мордой упираю-
щегося в вершину креста.
Сапаллитепа. 2-е тыс. до
н. э.
МИНУ, 253/54.
Лит.: Аскаров, 1977, XLI,
1.

29. Hairpin.
Bronze, casting.
L. 19.
Head shaped like a goat
(Asian moufflon), its face
resting on the top of the
cross.
Sapallitepa. 2nd mil. B. C.
MHPU, 253/54.
Lit.: Askarov, 1977, XLI, 1.

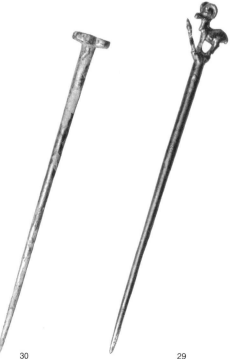

30. Шпилька.
Бронза. Литье.
Дл. 25.
Навершие в виде сжатой
в кулак руки.
Сапаллитепа. 2-е тыс. до
н. э.
МИНУ, 253/51.
Лит.: Аскаров, 1977, XII,
2–4.

30. Hairpin.
Bronze. Casting.
L. 25.
Fist-shaped head.
Sapallitepa. 2nd mil. B. C.
MHPU, 253/51.
Lit.: Askarov, 1977, XII, 2–4.

30   29

31, 32. Браслеты.
Бронза. Литье.
Д. 7–7,5. Сечение 0,4–0,5.
Сапаллитепа. XVII–XVI вв.
до н. э.
МИКИНУ,   А-433-1354,
1353.
Лит.: Аскаров, 1973,
табл. 25, 8–12.

33. Печать.
Бронза, Литье.
Д. 4.
Крестовидная   фигура
в круге с осевыми пере-
городками. Сапаллитепа,
2-е тыс. до н. э.
МИКИНУ, А-433-1340.
Лит.: Аскаров, 1977,
табл. XLVI, 9.

34. Печать   двусто-
ронняя.
Бронза. Литье.
3,5 × 3,5.
Изображены четыре ви-
да змей на одной стороне
и четыре диких животных
– камышовый кот, горный
козел, кабан и лев – на
другой.
Сапаллитепа. XVII–XVI вв.
до н. э.
МИНУ, 253/102.
Лит.: Аскаров, 1977, с. 78,
табл. XLIV.

35. Печать.
Бронза. Литье.
5,1 × 5,1.
Сапаллитепа. XVII–XVI вв.
до н. э.
МИНУ, 253/100.
Лит.: Аскаров, 1977, с. 79,
210, табл. XLVI, 6.

31, 32

34

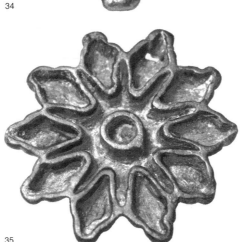

35

31, 32. Bracelets.
Bronze. Casting.
D. 7–7.5.   Cross-section
0.4–0.5.
Sapallitepa, 17th–16th cc.
B. C.
MHCAPU,   A-433-1354,
1353.
Lit.: Askarov, 1973, tabl. 25,
8–12.

33. Seal.
Bronze. Casting.
D. 4.
Cross-shaped figure in a
circle with axial partitions.
Sapallitepa. 2nd mil. B. C.
MHCAPU, A-433-1340.
Lit.: Askarov, 1977, tabl.
XLVI. 9.

34. Double-faced seal.
Bronze. Casting.
3.5 × 3.5.
One face showing four
species of snakes, the
other–four wild animals:
reed cat, mountain goat,
boar and lion.
Sapallitepa. 17th–16th cc.
B. C.
MHPU, 253/102.
Lit.: Askarov, 1977, p. 78,
tabl. XLIV.

35. Seal.
Bronze. Casting.
5.1 × 5.1.
Sapallitepa. 17th–16th cc.
B. C.
MHPU, 253/100.
Lit.: Askarov, 1977, p. 79,
210, tabl. XLVI, 6.

36. Печать.
Бронза. Литье.
5,5 × 5,3. Толщина 1,9.
Сапаллитепа. XVII–XVI вв.
до н. э.
МИНУ, 253/98.
Лит.: Аскаров, 1977, с. 79,
210, табл. XLVI, 4.

36

36. Seal.
Bronze. Casting.
5.5 × 5.3. Th. 1.9.
Sapallitepa. 17th–16th cc.
B. C.
MHPU, 253/98.
Lit.: Askarov, 1977, p. 79,
210, tabl. XLVI, 4.

37. Печать.
Бронза. Литье.
Д. 3,6.
Изображен орел с рас-
простертыми крыльями.
Сапаллитепа. XVII–XVI вв.
до н. э.
МИНУ, 253/120.
Лит.: Аскаров, 1977, с. 78,
210, табл. XLVI, 5.

37

37. Seal.
Bronze. Casting.
D. 3.6.
Spread eagle.
Sapallitepa. 17th–16th cc.
B. C.
MHPU, 253/120.
Lit.: Askarov, 1977, p. 78,
210, tabl. XLVI, 5.

38. Печать.
Мрамор. Резьба.
3,1 × 1,7.
Изображен орел с рас-
простертыми крыльями.
Сапаллитепа. XVII–XVI вв.
до н. э.
МИНУ, 253/96.
Лит.: Аскаров, 1977, с. 78.

38

38. Seal.
Marble. Carving.
3.1 × 1.7.
Spread eagle.
Sapallitepa. 17th–16th cc.
B. C.
MHPU, 253/96.
Lit.: Askarov, 1977, p. 78.

39. Цилиндрическая печать.
Белый известняк. Резьба.
В. 3. Д. 1.
Верхняя часть оформлена в виде конусовидной ручки.
Изображение двух козлов у древа жизни (геральдическая композиция).
Джаркутан, могильник.
XI–X вв. до н. э.
ИА.
Лит.: Мейтарчиян, 1984, с. 41–45, рис. 1.

39

39. Cylindrical seal.
White limestone. Carving.
H. 3. D. 1.
Upper part is shaped like a conic handle. Two goats near the tree of life (heraldic composition).
Djarkutan, burial. 11th–10th cc. B. C.
AI
Lit.: Meitarchiyan, 1984, pp. 41–45, F. 1.

40. Бусина.
Камень (тальк-хлорит). Резьба, шлифовка.
3 × 2,4.
Прямоугольная плоская. Углубленными линиями изображено восьминогое насекомое – фаланга (?).
Сапаллитепа. XVII–XVI вв. до н. э.
МИКИНУ, А-433-1345.
Лит.: Аскаров, 1973, с. 96.

40. Bead.
Stone (talc-chlorite). Carving, polishing.
3 × 2.4.
Rectangular, flat. Impressed lines form an eight-legged insect, possibly a phalange (?).
Sapallitepa. 17th–16th cc. B. C.
MHCAPU, A-433-1345.
Lit.: Askarov, 1973, p. 96.

41. Бусы.
Камень (лазурит, халцедон, мрамор). Резьба, шлифовка, огранка, сверление.
Цилиндрической, биконической, бочонковидной, уплощенно-цилиндрической формы.
Сапаллитепа. XVII–XVI вв. до н. э.
МИКИНУ, А-433-779-803.
Лит.: Аскаров, 1973, табл. 30.

41. Beads.
Stone (lazurite, chalcedony, marble). Carving, polishing, cutting, drilling (cylindrical, biconic, barrel-shaped, flat cylindrical).
Sapallitepa. 17th–16th cc. B. B.
MHCAPU, A-433-779-803.
Lit.: Askarov, 1973, table 30.

42. Бусы.
Камень (лазурит, халцедон). Шлифовка, сверление.
Сферической, биконической, цилиндрической формы.
Сапаллитепа. XVII–XVI вв. до н. э.
МИКИНУ, А-433-1133-1222.
Лит.: Аскаров, 1973, табл. 30.

42. Beads.
Stone (lazurite, chalcedony). Polishing, drilling.
Spherical, biconic, cylindrical form.
Sapallitepa. 17th–16th cc. B. C.
MHCAPU, A-433-1133-1222.
Lit.: Askarov, 1973, table 30.

43

43. Бусы.
Камень.   Шлифовка,
сверление.
Сапаллитепа. XVII–XVI вв.
до н. э.
МИНУ, 253/59.

43. Beads.
Stone. Polishing, drilling.
Sapallitepa. 17th–16th cc.
B. C.
MHPU, 253/59.

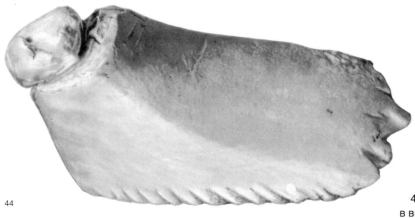

44

45

44. Подвеска-амулет в виде ступни.
Мергелистый известняк. Резьба.
1,4 × 3,3.
Сапаллитепа. XVII–XVI вв. до н. э.
МИНУ, 253/94.
Лит.: Аскаров, 1977, с. 75, рис. 33.

44. Pendant amulet, foot-shaped.
Marl limestone. Carving.
1.4 × 3.3.
Sapallitepa. 17th–16th cc. B. C.
MHPU, 253/94.
Lit.: Askarov, 1977, p. 75, Fig. 33.

45. Статуэтка лягушки.
Мергелистый известняк. Резьба.
4 × 3.
Сапаллитепа. XVII–XVI вв. до н. э.
МИНУ, 253/92.
Лит.: Аскаров, 1977, с. 189, табл. XXV, 15.

45. Statuette of a frog.
Marl limestone. Carving.
4 × 3.
Sapallitepa. 17th–16th cc. B. C.
MHPU, 253/92.
Lit.: Askarov, 1977, p. 189, tabl. XXV, 15.

46. Сосуд миниатюрный.
Мрамор розовый. Вытачивание.
В. 2,5. Д. 4,5.
Сапаллитепа. XVII–XVI вв. до н. э.
МИНУ, 253/32.
Лит.: Аскаров, 1977, с. 68, табл. XXV.

46. Miniature vessel.
Pink marble. Grinding.
H. 2.5. D. 4.5.
Sapallitepa. 17th–16th cc. B. C.
MHPU, 253/32.
Lit.: Askarov, 1977, p. 68. table XXV.

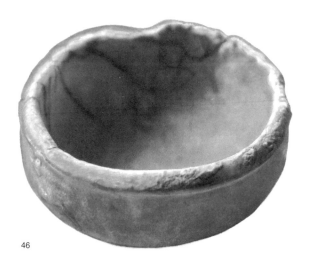

46

47. Сосуд миниатюрный.
Мрамор белый. Вытачивание.
В. 2,7. Д. 6,5.
Сапаллитепа. XVII–XVI вв. до н. э.
МИНУ, 253/33.
Лит.: Аскаров, 1977, с. 68, табл. XXV.

47. Miniature vessel.
White marble. Grinding.
H. 2.7. D. 6.5.
Sapallitepa. 17th–16th cc. B. C.
MHPU, 253/33.
Lit.: Askarov, 1977, p. 68, table XXV.

47

РАННИЙ ЖЕЛЕЗНЫЙ ВЕК

EARLY IRON AGE

БАКТРИЯ

Бактрия (Бактриана – др.-греч.; Бахтри – др.-перс.; Бахди – авест.) – историко-культурная область, раскинувшаяся по обоим берегам Амударьи (др. Окс) от Гиндукуша (Афганистан) до Гиссарского хребта (УзССР, Тадж. ССР). Первоначально небольшая территория в долине реки Балхаб. Столичный центр – город Бактры, позднейший Балх в северном Афганистане. Освоение области человеком относится к эпохе неолита. В начале 2-го тыс. до н. э., возможно, несколько ранее происходит широкое освоение приамударьинской равнины на юге и на севере оседлыми земледельческими племенами (Дашлы-Сапаллинская культура), пришедшими из долины Мургаба и Южного Туркменистана. В долинах рек формируются небольшие оазисы, в которых существовали по нескольку десятков поселений с укрепленным центром. Характерен высокий уровень культуры земледелия, основанного на искусственном орошении, систематизированных ремесел: гончарного, металлообработки. Значительное развитие получает архитектура, строительное дело, торговля. Возникают монументальные здания, дворцы, храмы (Дашлы-3, Джаркутан). В первой половине 1-го тыс. до н. э. в этой области формируются первые города, возникает, возможно, раннегосударственное объединение – древнебактрийское царство. С середины третьей четверти VI века до н. э. и вплоть до 330 г. до н. э. Бактрия на правах сатрапии входила в состав державы Ахеменидов. В 330–327 гг. до н. э. она была завоевана Александром Македонским, а с 306 г. н. э. и до середины III века до н. э. подчинялась селевкидским царям. В середине III века до н. э. на территории Бактрии возникает Греко-Бактрийское царство, просуществовавшее более ста лет. В этот период в Бактрии возникает много городов, высокого уровня достигает материальная и духовная культура, сформировавшаяся на местной основе при значительном влиянии эллинизма. Выдающимися памятниками этого времени являются городища Ай-Ханум (Сев. Афганистан) и Тахти-Сангин (Юж. Таджикистан).

В Сурхандарьинской области Узбекистана, составляющей в древности северо-западную часть Бактрии, слои эллинистического времени открыты на городищах Дальверзинтепа, Кампыртепа, Старый Термез. С этим же периодом связано возникновение товарно-денежных отношений. Наиболее ранними монетами, обнаруженными здесь, являются драхмы и халки селевкидского царя Антиоха I (280–268 гг. до н. э.) – Термез, Кампыр-

тепа, Денау. Находки греко-бактрийских монет представлены в значительно большем количестве – около 50 экз. Среди них – тетрадрахмы, драхмы, оболы, дихалки, халки всех греко-бактрийских царей: Диодота, Евтидема, Деметрия, Антимаха, Евкратида, Аполодота и Гелиокла. Находки этих монет, особенно медных, свидетельствуют о вхождении Северной Бактрии в состав эллинистических государств.

Во второй половине II века до н. э. Бактрия была завоевана сакскими и юечжийскими племенами, пришедшими с севера и северо-востока.

О сложной политической обстановке в Северной Бактрии в юечжийский период (вторая половина II века до н. э. – первая половина I века н. э.) свидетельствуют разнообразные монетные чеканы, восходящие к греко-бактрийским или парфянским прототипам. В частности, здесь обращались юечжийские подражания монетам Гелиокла двух групп (с Зевсом и лошадью на оборотной стороне), подражания оболам Евкратида, монеты Сападбиза и Санаба-Герая, подражания парфянским монетам Фраата IV и V с надчеканами.

С вхождением Северной Бактрии в состав кушанского государства в середине или второй половине I века н. э. здесь получают массовое распространение монеты общегосударственной чеканки Сотера Мегаса, Кадфиза II, Канишки, Хувшики, Васудевы и Канишки III. Высокого уровня развития достигают различные ремесла, сельское хозяйство, торговля, художественная и духовная культура, появляется множество городов и городков. Характерно разнообразие религиозных верований при ведущей роли местного варианта зороастризма и отчасти буддизма. После падения кушанского государства в первой половине III века н. э. в Северной Бактрии возникают самостоятельные владения, нумизматическим отражением существования которых являются подражания кушанским монетам Хувишки, Васудевы и Канишки III.

Во второй половине III века н. э. и, вероятно, до конца IV века н. э., Бактрия – Тохаристан – составная часть владений сасанидских кушаншахов, что определило здесь массовое распространение медных кушано-сасанидских и сасанидо-кушанских монет, а также драхм сасанидских царей.

Население области в 1-м тыс. до н. э. – первых веках н. э. в основном состояло из бактрийцев, говоривших на одном из восточноиранских языков.

По-видимому, уже с середины 1-го тыс. до н. э. здесь появляется письменность иноземного происхождения, а с конца IV—III века до н. э. — греческое письмо. При кушанском царе Канишке или при его предшественнике Кадфизе II в употребление вошла бактрийская письменность, сформировавшаяся на греческой основе и применявшаяся здесь вплоть до VIII—IX веков. В античное время и в раннее средневековье в Бактрии — Тохаристане употреблялись и другие письменности: кхароштхи, брахми, пехлевийская, арамейская, согдийская и т. н. „неизвестное письмо".

BACTRIA

Bactria (Bactriana—ancient Greek, Bahtri in ancient Persian, Bahdi in Avestian) was a historico-cultural region that spread on both banks of the Amudarya (Oxus) river from the Hindu Kush in Afghanistan to the Guissar mountain range in the present-day Uzbekistan and Tajikistan. Initially it occupied a small territory in the valley of the Balhab river. Its capital was the city of Baktry, later on—Balh in North Afghanistan. Man settled in that area in the neolithic period. In the beginning of the 2nd millennium B. C., possibly somewhat earlier, farming tribes belonging to the Dashly-Sapalli culture, came from the Murgab Valley and South Turkmenistan and settled in the south and north of the Amudarya Valley. Small oases appeared in river valleys where scores of settlements with fortified centres were built. They were characterized by a high level of farming based on artificial irrigation and systematized crafts: pottery and metal working.

Architecture, construction and trade were rather well developed. Monumental buildings, palaces and temples (Dashly-3, Djarkutan) were erected. In the first half of the 1st millennium B. C., the first cities sprang up in that area, and possibly, an early state – the ancient Bactrian Kingdom. From the middle of the third quarter of the 6th century B. C. till 330 B. C. Bactria, with the rights of a satrapy, was part of the state of Akhemenids. In 330—327 B. C. it was conquered by Alexander the Great, and from 306 B. C. to the middle of the 3rd century B. C. it belonged to the Seleucids. In the middle of the 3rd century B. C. a Greco-Bactrian kingdom was formed on the territory of Bactria. It existed for over 100 years. During that period of time, a lot of cities were built in Bactria, the material and spiritual culture formed on the local background under a considerable influence of Hellenism, achieved rather a high level. Outstanding monuments of that time are the Ai-Khanum settlement site in North Afghanistan and Takhti-Sanghin in South Tajikistan.

In the Surkhandarya region of Uzbekistan which constituted the north-western part of Bactria, layers dating back to the Hellenistic time were uncovered on the Dalverzintepa, Kampyrtepa and Old Termez settlement sites. The same period is associated with the formation of commodity-money relations. The earliest coins found there (in Termez, Kampyrtepa and Denau) were drachmas and halks of King Antiochus I of the Seleucids (280—268 B. C.). Greco-Bactrian coins were found in much greater numbers – about 50 pieces. Among them were tetradrachmas, drakhmas, obolis dihalks and halks of all Greco-Bactrian kings: Diodotus, Eutidemus, Demetrius, Antimachus, Eucratides, Apolodotus and Heliocles. These coins, especially copper ones, testify to the fact that North Bactria was part of the Hellenistic states.

In the second half of the 2nd century B. C. Bactria was conquered by Saha and Yueh-Chi tribes who came from the north and north-east.

Diverse mint dies ascending to Greco-Bactrian and Parthian prototypes, testify to a complex political situation in North Bactria during the Yueh-Chi period (the second half of the 2nd century B. C. – the first half of the 1st century A. D.). Among the coins circulated there, were Yueh-Chi imitations of two groups of Heliocles' coins (with Zeus and a horse on the reverse side), imitations of Eucratides' obolis, coins of Sapadbizes and Sanab-Heraios, imitations of Parthian coins of Phraates IV and V with countermarks.

When North Bactria joined the Kushan state in the middle and the second half of the 1st century A. D., coins issued by Soter Megas, Kadphises II, Kanishka, Huvishka, Vasudeva and Kanishka III were circulated on a mass scale. Crafts, agriculture, trade, arts and culture were flourishing, and a lot of cities and towns were built. The period was characterized by a diversity of religions, with the leading role played by a local version of Zoroastrianism and partially, Buddhism. After the downfall of the Kushan state in the first half of the 3rd century A. D., independent domains sprang up in North Bactria, whose existence was reflected in numismatics by imitations of Kushan coins of Huvishka, Vasudeva and Kanishka III.

From the second half of the 3rd century A. D. and probably, till the end of the 4th century Bactria–Tocharistan was part of the state of the Sassanid kushanshahs, which determined mass circulation of copper Kushano-Sassanid and Sassanido-Kushan coins, as well as drachmas of the Sassanid kings.

In the 1st millennium B. C. – the first centuries A. D. the population mostly consisted of Bactrians, who spoke an East-Iranian language. Probably, in the middle of the 1st millennium B. C. a script of foreign extraction, and at the end of the 4th–3rd centuries B. C. the Greek script appeared there. Under King Kanishka of the Kushan dynasty or under his predecessor Kadphises II, the Bactrian script based on the Greek script began to be used there, and it existed till the 8th–9th centuries. During the Antiquity and the Early Middle Ages, other scripts, such as Kharoshthi, Brahmi, Pehlevi, Aramian, Soghdian and a scipt of an unknown origin were used in Bactria–Tocharistan.

МОНЕТЫ

СЕЛЕВКИДЫ

48. Антиох I (280–262/61 гг. до н. э.).
Голова царя в диадеме/обнаженный Зевс. В правой руке связка молний, на левой – эгида, внизу у ноги – птица. Греческая надпись: „Царь Антиох".
Серебро, тетрадрахма.   16,5*
МИНУ.
Лит.: Ртвеладзе, 1987, с. 60

49. Антиох I. Бактрийская эмиссия.
В точечном круге голова царя в диадеме/протома рогатой лошади.
Серебро, драхма.   4,2
МИНУ.
Лит.: Ртвеладзе, 1987, с. 62.

COINS

SELEUCIDS

48. Antiochus I (280–262/61 B. C.)
Laur. head/nude Zeus. A bundle of thunderbolts on right, aegis on left, eagle at feet. Greek legend "King Antiochus".
Silver, tetradrachma.   16,5*
MHPU.
Lit.: Rtveladze, 1987, p. 60.

49. Antiochus I. Bactrian emission.
Laur. head in dotted circle/forepart of horned horse.
Silver, drachma.   4,2
MHPU.
Lit.: Rtveladze, 1987, p. 62.

48

49

---

* Вес монет дан в граммах.

---

* Weight of coins is given in grammes.

50. Антиох I.
Голова Афины/Ника
с трофеями.
Медь, халк.   3,8
Кампыртепа.
ИИ, б/н.
Лит.: Ртвеладзе, 1989.

50. Antiochus I.
Athen's head/Nike with
trophies.
Copper, halk.   3.8
Kampyrtepa.
IAR, w/n.
Lit.: Rtveladze, 1989.

50

ГРЕКО-БАКТРИЯ

51. Евтидем (235–
200 гг. до н. э.).
Голова бородатого Гера-
кла/скачущий конь, гре-
ческая надпись:
„Царь Евтидем".
Медь, халк.   8,5
Кампыртепа.
ИИ, б/н.
Лит.: Ртвеладзе, 1987,
с. 64.

GRECO-BACTRIA

51. Euthydemus (235–
200 B. C.)
Bearded Hercules' head/
galloping horse. Greek
legend: "King
Euthydemus".
Copper, halk.   8.5
Kampyrtepa.
IAR, w/n.
Lit.: Rtveladze, 1987, p. 64.

51

52. Деметрий (200–185 гг. до н. э.).
Погрудное изображение государя в шлеме в виде головы слона/обнаженный Геракл. В правой руке диадема, в левой – дубина и львиная шкура. Греческая надпись: „Царь Деметрий".
Серебро, драхма.   3,0
Дальверзинтепа.
ИИ, б/н.
Лит.: Ртвеладзе, 1987, с. 66.

52. Demetrius (200–185 B.C.)
Bust wearing helmet in the form of elephant head/nude Hercules holding diadem in the right hand, club and lion skin in the left hand. Greek Legend: "King Demetrius".
Silver, drachma.   3.0
Dalverzintepa.
IAR, w/n.
Lit.: Rtveladze, 1987, p. 66.

52

53. Антимах (190–180 гг. до н. э.).
Погрудное изображение государя в плоском головном уборе и диадеме/бог Посейдон, стоящий с трезубцем в правой руке и пальмовой ветвью – в левой.
Серебро, драхма.   4,2
СОКМ.
Лит.: Ртвеладзе, 1987, с. 68.

53. Antimachus (190–180 B. C.)
Laur. bust wearing flat headdress/God Poseidon standing, with trident in the right hand and palm twig in the left hand.
Silver, drachma.   4.2
SRMLL.
Lit.: Rtveladze, 1987, p. 68.

54. Евкратид (171–155 гг. до н. э.).
Погрудное изображение государя в македонском шлеме и драпирующемся плаще/скачущие близнецы-братья Диоскуры с копьями в руках. Греческая надпись: „Царя Спасителя Евкратида".
Серебро, драхма.   4,6
Коллекция В. Кучерова.
Лит.: Ртвеладзе, 1987, с. 70.

54. Eucratides (171–155 B. C.)
Draped bust wearing Macedonian helmet/Dioscuri twins on the horseback holding spears. Greek legend: "Of King Saviour Eucratides".
Silver, drachma.   4.6
Kucherov's collection.
Lit.: Rtveladze, 1987, p. 70.

54

55. Евкратид.
Погрудное изображение государя в драпирующемся плаще, волосы повязаны диадемой, ленты

55

55. Eucratides.
Draped laur. bust with ribbons behind the head/Plums of Dioscuri centre, palm twigs and Greek legend degraded.

которой видны за головой/колпаки Диоскуров, пальмовые ветви и плохо сохранившаяся греческая надпись.
Серебро, обол.   0,9
Кампыртепа.
ИИ, б/н.
Лит.: Ртвеладзе, 1987, с. 72.

Silver, obol.   0.9
Kampyrtepa.
IAR, w/n.
Lit.: Rtveladze, 1987, p. 72.

56. Гелиокл   (155–140 гг. до н. э.).
Голова царя в диадеме вправо/стоящий Зевс.
Медь, халк.   15,5
Шортепа.
ИИ.

56. Heliocles (155–140 B. C.)
Laur. head right/Zeus standing.
Copper, halk.   15.5
Shortepa.
IAR.

56

ЮЕЧЖИ

57. Сападбиз (конец I в. до н. э. – начало I в. н. э.).
Погрудное изображение правителя в македонском шлеме. На серебряных монетах подобного типа за головой греческая надпись: „Сападбиз"/ в центре монеты – лев.
Греческая надпись: „Нана".
Медь, халк.   1,5
Хайрабадтепа.
МИНУ.

YUEH-CHI.

57. Sapadbizes (end of the 1st c. B. C. – beginning of the 1st c. A. D.) Bust wearing Macedonian helmet. Silver coins of this kind bear the Greek legend "Sapadbizes"/ lion – in the centre. Greek legend: "Nana".
Copper, halk.   1.5
Khairabadtepa.
MHPU.

57

84

58. Санаб (Герай) (конец I в. до н. э. – начало I в. н. э.).
Погрудное изображение правителя в профиль вправо с крупными выразительными чертами лица. Волосы надо лбом подхвачены диадемой/ в центре монеты изображение сидящего на лошади правителя. Справа у пояса колчан (горит), за головой правителя фигура богини Ники. Греческая надпись: „Правящий" Герай „Санаб Кушан".
Серебро, тетрадрахма.   13,5
МИНУ.

59. Сотер Мегас
(I в. н. э.).
Погрудное изображение божества. В протянутой вперед руке скипетр, над головой нимб, за головой тамга/царь на коне вправо – с боевым топором (клевцом) в вытянутой правой руке. За спиной – развивающиеся длинные ленты, идущие от головного убора. Конь стоит на черте. Справа в поле – трехзубчатая тамга на кружке с перекрестием. Греческая надпись: „Царь царей великий спаситель".
Медь, халк.   8,5
ИИ.

60. Кадфиз II (вторая половина I в. н. э.).
Царь в высоком головном уборе, повязанном диадемой, правая рука над алтарем, левая у талии. В поле слева – трезубец и бугристая палица, справа – четырехзубчатая с боковыми отростками тамга. Круговая греческая легенда состоит обычно из пяти слов: „Царь царей Вима Кадфиз Кушан"/Шива, стоящий перед быком Нанди. Индийская надпись письмом кхароштхи.
Медь, халк.   18,0
Дальверзинтепа.
ИИ.

58. Sanab (Heraios) (end of the 1st c. B. C. – beginning of the 1st c. A. D.)
Laur. bust right with gross expressive face. Hair over the fore – head tied up with a diadem/ ruler on the horseback in the centre, quiver at side, Nike flying behind his head. Greek legend: "Ruling "Heraios" Sanab Kushan".
Silver, tetradrachma.   13.5
MHPU.

59. Soter Megas (1st c. A. D.)
Bust of a deity with a halo, holding the sceptre, over the head – nimbus, control mark behind the head/King on the horseback right holding an axe in the right hand. Long flying ribbons behind commencing from headdress. Horse stands on the line. On the right in the field – a three-toothed control mark on cross in circle. Greek legend: "King of Kings, the Great Saviour".
Copper, halk.   8.5
IAR.

59

60. Kadphises II (second half of the 1st c. A. D.)
King wearing a headdress, tied up with diadem, the right hand – above the altar, the other hand – on the hip. On the left in the field – a trident and bumped club, on the left – a four-toothed control mark with side sprouts. Greek legend around, usually of five words: "King of Kings Vima Kadphises Kushan"/ Shiva standing in front of Nandi bull. Indian legend in Kharoshthi script.
Copper, halk.   18.0
Dalverzintepa.
IAR.

60

61. Канишка (первая половина II в. н. э.). Царь в кафтане и высоком головном уборе, стоящий впрямь. Правая рука над алтарем, в левой копье. Бактрийская надпись: „Царь царей Канишка Кушан"/обнаженная фигура бегущего божества Ветра – Вадо, за плечами – развевающийся плащ. Справа в поле – четырехзубчатая тамга. Бактрийская надпись.
Медь, халк. 15,5
Дальверзинтепа.
ИИ.

61

61. Kanishka (first half of the 2nd c. A. D.)
King standing wearing tunic and high headdress holding spear in the left hand, the right hand – over altar. Bactrian legend: "King of Kings Kanishka Kushan"/ nude wind deity Vado running with streaming drape. On the right in the field – a four-toothed control mark. Bactrian legend.
Copper, halk. 15.5
Dalverzintepa
IAR

62. Хувишка (середина – вторая половина II в. н. э.).
Государь на слоне, в правой руке скипетр, в левой стрекало.
Бактрийская надпись: „Царь царей Хувишка Кушан" (на данной монете легенда сохранилась частично)/стоящее впрямь божество, в правой руке – копье, слева в поле – тамга.
Медь, халк. 7,0
ИИ.

62

62. Huvishka (middle – second half of the 2nd c. A. D.)
King riding an elephant holding the sceptre in his right hand and the stick in his left hand. Bactrian legend: "King of Kings Huvishka Kushan" (legend partially degraded)/ Deity standing holding the spear in the right hand, in the left hand in the field – control mark.
Copper, halk. 7.0
IAR.

63. Хувишка (середина – вторая половина II в. н. э.).
Фигура царя, возлежащего на тахте. Бактрийская надпись: „Царь царей Хувишка Кушан"/солнечное божество Миоро (Митра). Справа – бактрийская надпись с именем божества, слева – четырехзубчатая тамга.
Медь, халк.   9,0
ИИ.

63. Huvishka (middle – second half of the 2nd c. A. D.)
King lying on the sofa. Bactrian legend: "King of Kings Huvishka Kushan"/ solar deity Mioro (Mitra). On the right–Bactrian legend with the name of the deity, on the left–four-toothed control mark.
Copper, halk.   9.0
IAR.

64. Васудева (конец II – первая треть III в. н. э.).
Стоящий царь перед алтарем/стоящий Шива перед быком Нанди.
Медь, халк.
Дальверзинтепа.
ИИ.

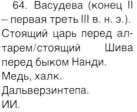

64

64. Vasudeva (end of the 2nd–first third of the 3rd cc. A. D.)
King standing in front of the altar/ Shiva standing in front of Nandi bull.
Copper, halk.
Dalverzintepa.
IAR.

* * *

65. Гемма инталия.
Халцедон. Резьба.
2,4 × 2.
В основании конуса изображен идущий „гопатшах" (человекобык) с длинной бородой и гладко зачесанными короткими волосами.
Место находки неизвестно. V в. до н. э.
МИКИНУ, М-246.
Лит.: Пугаченкова, Ремпель, 1960, рис. 132.

65. Gemma intaglio
Chalcedony. Carving.
2.4 × 2.
Base of the cone shows a walking "gopatshah" (man-bull) with a long beard and smoothly combed short hair.
Locality unknown. 5th c. B.C.
MHCAPU, M-246.
Lit.: Pugachenkova, Rempel, 1960, Fig. 132.

66. Кувшин.
Глина, обжиг. Формовка на гончарном круге. Оранжево-красный ангоб.
В. 18,5 Д. 17.
Хатынрабад. I–II вв. н. э.
ИИ.

66. Jug.
Clay, kilning. Moulding on the potter's wheel. Reddish-orange engobe.
H. 18.5. D. 17.
Khatynrabad. 1st–2nd cc. A. D.
IAR.

67. Сосуд с горлом-си-
течком.
Глина, обжиг. Формовка
на гончарном круге, про-
колы.   Коричнево-крас-
ный ангоб, лощение.
В. 16,5. Д. 10.
В тулове круглое отвер-
стие.
Канал Душанбинка – Ка-
ратаг. Первые века н. э.
СОКМ, 338.

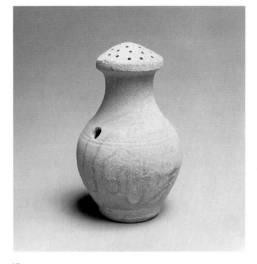

67. Vessel with a neck-
sieve.
Clay, kilning. Moulding on
the   potter's   wheel,
punctures. Reddish-brown
engobe, polishing.
H. 16.5. D. 10.
Round aperture in the body.
Dushanbinka – Karatag
canal. First centuries A. D.
SRMLL, 338.

67

68. Кувшин.
Глина, обжиг. Формовка
на гончарном круге. Крас-
но-коричневый ангоб.
Каплевидное тулово на
дисковидном   поддоне,
вертикально-полосчатое
лощение.
В. 28.
Ялпактепа. IV в. н. э.
ИА.
Лит.: Пидаев, 1976, с. 191,
рис. 3.

68. Jug.
Clay, kiling. Moulding on
the potter's wheel. Red-
dish-brown engobe.
Drop-shaped body on a
disc-shaped   saucer,
polished vertical lines.
H. 28.
Yalpaktepa. 4th c. A. D.
AI.
Lit.: Pidaev, 1976, p. 191,
Fig. 3.

68

69. Налеп на стенке со-
суда.
Глина,   обжиг.   Оттиск
в матрице, лепка. Крас-
ный ангоб.
3 × 2,5.
Женская голова, волни-
стые пряди волос зачеса-
ны назад и от висков на
щеки.
Бараттепа, случайная на-
ходка. I–II вв. н. э.
ИИ.
Лит.: Пугаченкова, 1973,
с. 113–115.

69. Female head stuck
on a jug.
Clay, kilning. Stamped on a
die. Red engobe.
3 × 2.5.
Female head with wavy hair
combed back and from the
temples – onto the cheeks.
Barattepa, found by acci-
dent. 1st–2nd cc. A. D.
IAR.
Lit.: Pugachenkova, 1973,
p. 113–115.

69

70. Статуэтка. Фрагмент.
Глина, обжиг. Лепка. Резьба, красный ангоб.
4,5 × 4.
Будрач, шахристан, случайная находка. III–IV вв. н. э.
ИИ.

70

70. Statuette. Fragment.
Clay, kilning. Modelling. Carving, red engobe.
4.5 × 4.
Budrach, shakhristan, found by accident. 3rd–4th cc. A. D.
IAR.

71. Статуэтка. Фрагментирована.
Глина, обжиг. Оттиск в матрице, обрезка по краю. Красный ангоб.
10 × 6,5.
Обнаженная с прижатыми к бедрам руками. На запястьях браслеты. Половые признаки подчеркнуты.
Бараттепа, случайная находка. III–II вв. до н. э.
ИИ.
Лит.: Пугаченкова, 1973, с. 106–108.

71

71. Statuette. Fragments.
Clay, kilning. Stamped on a die, cut along the rim. Red engobe.
10 × 6.5.
Nude female with arms pressed to the hips. Bracelets on wrists. Genitals emphasized.
Barattepa, found by accident. 3rd–4th cc. B. C.
IAR.
Lit.: Pugachenkova, 1973, p. 106–108.

72. Статуэтка. Фрагмент.
Глина, обжиг. Лепка, пунцонирование.
7 × 7.
Полая фигурка лошади. Хонакатепа. I–II вв. н. э.
СОКМ, 522.

72. Statuette. Fragment.
Clay, kilning. Modelling, punching.
7 × 7.
Hollow statuette of a horse. Khonakatera. 1st–2nd cc. A. D.
SRMLL, 552.

72

73. Статуэтка. Фрагмент.
Глина, обжиг. Оттиск в матрице, обрезка по краю.
12 × 7.
Музыкант в плаще-гиматии, застегнутом на груди фибулой. Струнный инструмент имеет гитарообразную деку. На запястьях и щиколотках – браслеты.
Бабатаг. I—II вв. н. э.
СОКМ, 1212.

73

73. Statuette. Fragment.
Clay, kilning. Stamped on a die, cut along rims.
12 × 7.
Musician in a cloak (himation) fastened with a fibula on the breast. A string instrument with a guitar-shaped sounding-board.
Bracelets on wrists and ankles.
Babatag. 1st—2nd cc. A. D.
SRMLL, 1212.

74. Статуэтка.
Глина, обжиг. Оттиск в матрице, подрезка с тыльной стороны.
Красный ангоб.
10 × 3.
Полуобнаженный бородатый мужчина в островерхом головном уборе, с чашей (?) у подбородка. Половые признаки подчеркнуты.
Бараттепа, случайная находка. I—II вв. н. э.
ИИ.

74

74. Statuette.
Clay, kilning. Stamped on a die, cut on the back side. Red engobe.
10 × 3.
Semi-nude bearded male in a peaked headdress, with a bowl (?) near the chin. Genitals emphasized.
Barattepa, found by accident. 1st—2nd cc. A. D.
IAR.

75. Матрица для производства статуэток. Фрагментирована. Глина, обжиг. Оттиск с патрицы, подрезка. Ганчевая обмазка.
17,7 × 10 × 6. Размеры патрицы 16 × 6,7 × 3,5.
Женщина в эллинистическом одеянии – хитоне, перехваченном под грудью, на плечи накинут плащ-гиматий.
Шортепа. I—III вв. н. э.
СОКМ, 580.

75

75. Stamp for making statuettes, Fragments.
Clay, kilning. Stamped with a punch, cut. Coated with stucco.
17.7 × 10 × 6. Size of the punch 16 × 6.7 × 3.5.
Female in Hellenistic tunic, tied up below the breast, with a cloak (himation) on her shoulders.
Shortepa. 1st—3rd cc. A. D.
SRMLL, 580.

90

76. Статуэтка бодхи-
сатвы. Фрагмент.
Глина, обжиг. Оттиск
в матрице, подправка,
обрезка по краю.
6,2 × 4,5.
Исмаилтепа. II—III вв. н. э.
СОКМ, 931.

76. Statuette of
Bodhisattva. Fragment.
Clay, kilning. Stamped on a
die, trimmed, cut along
rims.
6.2 × 4.5
Ismailtepa. 2nd–3rd cc.
A. D.
SRMLL, 931.

76

77. Статуэтка.
Глина, обжиг. Оттиск
в матрице, обрезка по
краю. Темно-красный
(фиолетовый) ангоб.
9,6 × 4,8.
Донатор с цветами в пра-
вой руке и атрибутом (?) –
в левой.
Складчатый плащ, заки-
нутый на левое плечо и
закрывающий ступни ног.
На шее – гривна.
Хайрабадтепа. II—III вв.
н. э.
СОКМ, 930.

77. Statuette.
Clay, kilning. Stamped on a
die, cut along rims. Dark-
red (purple) engobe.
9.6 × 4.8.
Donator with flowers in the
right hand and an attribute
(?) in the left. Pleated cloak,
tossed over left shoulder
and covering the feet. Pendant on the neck.
Khairabadtepa. 2nd–3rd
cc. A. D.
SRMLL, 930.

77

78. Статуэтка.
Глина, обжиг. Оттиск
в матрице, обрезка по
краю. Черный ангоб.
8,2 × 3,3.
Фигура бодхисатвы
в прозрачном одеянии,
присутствие которого
подчеркнуто рельефной
горизонтальной линией,
передающей нижний
край платья.
Хатынрабад, III в. н. э.
СОКМ, 924.
Лит.: Пугаченкова, Рем-
пель, 1960, ил. 63.

78. Statuette.
Clay, kilning. Stamped on a
die, cut along the rim. Black
engobe.
8.2 × 3.3.
Bodhisattva in a transpa-
rent dress, the presence of
which is emphasized by a
relief horizontal line, symbolizing the hem of the
dress.
Khatynrabad. 3rd c. A. D.
SRMLL, 924.
Lit.: Pugachenkova, Rempel,
1960, Fig. 63.

78

79. Статуэтка женщины. Фрагмент.
Глина, обжиг. Оттиск в матрице, с подправкой (?), обрезка по краю и с тыльной стороны. Красный ангоб.
8,7 × 6,5.
Ангорский р-н. III—IV вв. н. э.
СОКМ, 1365.

79

79. Female Statuette. Fragment.
Clay, kilning. Stamped on a die with correction (?), cut along the rim and on the face side. Red engobe.
8.7 × 6.5.
Angora district. 3rd—4th cc. A. D.
SRMLL, 1365.

80. Статуэтка.
Глина, обжиг. Оттиск в матрице, обрезка по краю. Окраска в темно-красный цвет, позолота.
15 × 8.
Бодхисатва в позе медитации. С тыльной стороны статуэтки — выступ для выемки из матрицы. Бараттепа, случайная находка. III—IV вв. н. э.
ИИ.

Лит.: Пугаченкова, 1973, с. 119—120.

80

80. Statuette.
Clay, kilning. Stamped on a die, cut along the rim. Died dark-red, gilded.
15 × 8.
Bodhisattva in the meditation posture. On the back side of the statuette — a projection for taking it out of the die.
Barattepa, found by accident, 3rd—4th cc. A. D.
IAR

Lit.: Pugachenkova, 1973, pp. 119—120.

81. Статуэтка. Фрагмент.
Глина, обжиг. Оттиск в матрице, обрезка по краю. Красный ангоб.
7,2 × 7,1.
Женщина в высоком головном уборе с массивными серьгами в ушах, на шее – гривна.
Исмаилтепа. II–IV вв. н. э.
СОКМ, КП-1622-2.

81

81. Statuette. Fragment.
Clay, kilning. Stamped on a die, cut along the rim. Red engobe.
7.2 × 7.1.
Woman in a high headdress, with massive earrings and a pendant on the neck.
Ismailtepa. 2nd–4th cc. A. D.
SRMLL, KP-1622-2.

82. Медальон.
Глина, обжиг. Резьба. Коричневый ангоб.
Д. 10.
Мифическое существо – Киртимукха.
Хайрабадтепа. II–III вв. н. э.
СОКМ, 945.

82

82. Medallion.
Clay, kilning, Carving, Brown engobe.
D. 10.
A mythical creature – Kirtimukha.
Khairabadtepa. 2nd–3rd cc. A. D.
SRMLL, 945.

83. Образок.
Глина, обжиг. Оттиск в матрице.
В. 11. Ш. 7,3.
Будда под сводом ниши в позе „падмасана".
Аккурган. III–IV вв. н. э.
ИА.
Лит.: Пидаев, 1978, с. 73 –74, рис. 73.

83

83. Icon.
Clay, kilning. Stamped on a die.
H. 11. W. 7.3.
Buddha in a niche in the "padmasana" posture.
Akkurgan. 3rd–4th cc. A. D.
AI.
Lit.: Pidaev, 1978, pp. 73– 74, Fig. 33.

84. Плакетка. Фрагмент.
Глина, обжиг. Оттиск в матрице, обрезка по краю. Красный ангоб.
10,5 × 5.
Любовная пара. У женщины — низкосвисающее ожерелье, браслеты на руке и ноге, мужчина – в длинном драпирующемся одеянии.
Батырабад, случайная находка. II—III вв. н. э.
ИИ.
Лит.: Пугаченкова, 1973, с. 120—121.

84

84. Plaquette. Fragment.
Clay, kilning. Stamped on a die, cut along the rim. Red engobe.
10.5 × 5.
Couple in love. Woman with a low-hanging necklace and bracelets on the arm and the leg. Man in a long draped cloth. Batyrabad, found by accident. 2nd—3rd cc. A. D.
IAR.
Lit.: Pugachenkova, 1973, pp. 120—121.

85. Антефикс.
Глина, обжиг. Оттиск в матрице, лепка.
19,5 × 12,2 × 10.
Выполнен в виде мужской головы, увенчанной высокой короной с растительным побегом (акант).
Зиндантепа. III в. н. э.
СОКМ, 1584.
Лит.: Абдуллаев, 1987, с. 76—80, рис. 1.

85

85. Antefix.
Clay, kilning. Stamped on a die, modelled.
19.5 × 12. 2 × 10.
Shaped like a male head, topped with a high crown and an acanthus branch.
Zindantepa. 3rd c. A. D.
SRMLL, 1584.
Lit.: Abdullaev, 1987, pp. 76—80, Fig. 1.

86. Маскарон.
Мрамор. Резьба, полировка.
8 × 5.
Шахригульгуля, случайная находка. I в. до н. э. – I в. н. э.
ИИ.
Лит.: Тургунов, 1976, рис. 1.

86

86. Mascaron.
Marble. Carving, polishing.
8 × 5.
Shakhrigulgulia, found by accident. 1st c. B. C. – 1st c. A. D.
IAR.
Lit.: Turgunov, 1976, Fig. 1.

87. Статуэтка.
Кость. Резьба.
В. 12,2.
Обнаженная женская фигура, изготовлена в технике круглой скульптуры. Половые признаки подчеркнуты.
Дата и место находки неизвестны.
МИКИНУ, А-56-47.

87

87. Statuette.
Bone. Carving.
H. 12.2.
Nude female figurine, executed in the technique of round sculpture. Genitals emphasized.
Date and a place of discovery – unknown.
MHCAPU, A-56-47.

88. Деталь статуэтки.
Кость. Резьба.
В. 4,8.
Женская головка, внутри полая, глаза и брови обозначены штрихом. Возможно, ремонтная голова взамен утраченной у фигуры под № 87. (Дата и место находки неизвестны.
МИКИНУ, А-56-49.

№№ 87, 88 предлагаются в качестве аналогий к № 89.

88

88. Statuette. Detail.
Bone. Carving.
H. 4.8.
Female head, hollow, eyes and eyebrows marked by strokes. Possibly designed to repair Statuette No. 87.
Date and a place of discovery – unknown.
MHCAPU, A-56-49.

No. 87 and No. 88 are offered as analogous to No. 89.

СТАРЫЙ ТЕРМЕЗ

В понятие „Старый Термез" включается комплекс разновременных городищ и отдельных памятников, расположенных в 12 км к северо-западу от современного Термеза. Возникновение города на естественной возвышенности (кала), на правом берегу Амударьи может быть датировано серединой 1-го тыс. до н. э. Вероятно, город имел прямоугольную планировку (предполагаемая площадь – 12,5 га). Впоследствии южная стена города, проходившая вдоль берега реки, была смыта водой. В греко-бактрийское время город интенсивно обживался. Одновременно складывается городская округа, включавшая предполагаемые сельские усадьбы и административно-общественные сооружения: крепость-таможню (Малый Чингизтепа), порт-гостиницу (Чингизтепа).

В источниках кушанского времени I–III вв. н. э. упоминается название города – Тармита. Кушанский город, наследуя греко-бактрийскую планировку, развивается дальше, появляется пригород – площадь около 30 га, вокруг которого возводится стена.

С рубежа нашей эры в Северной Бактрии большое значение приобретает буддизм. Вокруг Тармиты возникает целый ряд буддийских культовых памятников: на северо-западе крупный пещерный центр – Каратепа; на севере – храмово-монастырский комплекс Фаязтепа; на востоке, вблизи стен калы – Безымянная тепа, на поверхности которой найдены фрагменты буддийской скульптуры; далее на восток – ступа, известная ныне как „башня Зурмала" и другие.

Помимо буддийских памятников в округе появляются крупные сооружения светского характера – на северо-востоке от цитадели возводится крепость (?) Курган. Северная часть округи обносится валом, ограждая территорию площадью около 263 га. Интересное предположение Л. И. Альбаума об использовании вала в качестве акведука пока не получило всеобщего признания (Альбаум, 1985).

В IV–V веках северная часть округи Тармиты пустеет. Прекращает существование храмово-монастырский комплекс Фаязтепа, значительно сокращается количество функционирующих комплексов на Каратепа, заброшен Курган. Разрушающиеся памятники округи используются для погребений.

Между тем сам город в посткушанское время продолжает расти. К ранее существовавшему пригороду добавляется территория площадью 27 га, укрепленная самостоятельной стеной, продолжающей функционировать и в раннесредневековое время.

Город начала VII века упоминает китайский паломник Сюан Цзан, который отметил наличие городских стен длиной 20 ли (около 5 км). К моменту его посещения Тармиты в городе (округе?) располагалось 12 монастырей, ступа и проживало около 1 000 монахов.

Вероятно, таким был город ко времени появления здесь арабов. Тармита становится опорным пунктом завоевания Мавераннахра.

OLD TERMEZ

Old Termez comprises a complex of settlement sites and monuments dating back to different periods, situated in 12 km to the south-west from modern Termez. The formation of the city on a natural height (kala) on the right bank of the Amudarya river dates back to the middle of the 1st millennium B. C. The city, most likely, had a rectangular layout, with a supposed area of 12.5 hectares. Subsequently, the southern city wall which ran along the river, was washed off by water. During the Greco-Bactrian period the city was growing intensively. Simultaneously the city environs were springing up. They supposedly included country-houses and administrative buildings: a fortress-customs house (Maly Genghiztepa), a port-hotel (Genghiztepa).

Sources dating back to the Kushan period (1st–3rd cc. A. D.) mention the city as Tarmita. The city of the Kushan period inherited the Greco-Bactrian layout and developed further. There appeared a suburb with an area of about 30 hectares, surrounded by a wall.

With the beginning of our era, Buddhism became very prominent in North Bactria. A number of ritual Buddhist monuments rose around Tarmita: a large complex of caves in the north-west Karatepa, a temple with a monastery called Fayaztepa in the north, in the east, near the walls of the inner city-Bezymiannaya tepa (nameless tepa) – on the surface of which fragments of Buddhist sculptures were found, and farther to the east – a stupa known today as "Zurmala tower", etc.

Apart from Buddhist monuments, large secular buildings were erected in the locality. The Kurgan fortress (?) was built to the north-east of the citadel. The northern part of the locality was surrounded with a bank, enclosing an area of about 263 hectares. L. I. Albaum made an interesting supposition, namely, that the bank was used as an aqueduct, but it has not been universally recognized (Albaum, 1985).

In the 4th–5th centuries the northern environs of Tarmita were deserted. The temple and the monastery complex of Fayaztepa ceased to exist, the number of functioning complexes in Karatepa decreased considerably, and Kurgan became neglected. Deteriorating monuments were used as burial places.

Meanwhile, the city itself continued to grow in the post-Kushan period. To the suburb that had existed earlier, was added a territory of 27 hectares fortified with an independent wall, which continued to function in the Early Middle Ages.

The city of the 7th century was mentioned by a Chinese pilgrim Suan Tsan who wrote about the city walls of 20 li (about 5 km). By the time he visited Tarmita, the city (the environs?) had 12 monasteries and a Stupa with about 1 000 monks.

The city was like that till Arabs came there. Tarmita became a stronghold during the conquest of Maverannahr.

89. Статуэтка. Фрагментирована.
Слоновая кость. Обточка, полировка, сверление.
6,1 × 2,7.
Обнаженная женская фигура. На плечах сквозные отверстия для подвесных рук.
III–II вв. до н. э.
ИА.
Лит.: Пидаев, 1986.

89

89. Statuette. Fragments.
Ivory. Turning, polishing, drilling.
6.1 × 2.7.
Nude female figure. Through apertures on shoulders for suspended arms.
3rd–2nd cc. B. C.
AI.
Lit.: Pidaev, 1986.

90. Статуэтка. Фрагмент.
Глина, обжиг. Оттиск в матрице, обрезка по краю.
7 × 5.
Лютнистка (?). Струнный инструмент с каплевидной декой.
III–IV вв. н. э.
СОКМ, 1279.
Лит.: Козловский, Некрасова, 1976, с. 32, рис. 2, 7.

90

90. Statuette. Fragment.
Clay, kilning. Stamped on a die, cut along the rim.
7 × 5.
Lute-player. String instrument with a drop-shaped sounding-board.
3rd–4th cc. A. D.
SRMLL, 1279.
Lit.: Kozlovski, Nekrasova, 1976, p. 32, Figs 2, 7.

91. Плакетка.
Нефрит. Резьба.
6 × 6.
Сидящая женская фигура с инструментом типа лютни.
III—IV вв. н. э.
ИА.

91. Placquette.
Nephrite. Jade. Carving.
6 × 6.
Sitting woman with an instrument resembling a lute.
3rd—4th cc. A. D.
AI.

91

92. Горельеф. Фрагмент архитектурного декора.
Мраморовидный известняк. Резьба.
42 × 25 × 17.
Двухъярусная композиция со сценами адорации – Будда и Адоранты. Будда восседает в позе падмасана под деревом бодхи. В нижнем регистре – будды с руками, сложенными в дхармачакрамудре. По сторонам – поклоняющиеся миряне.
III в. н. э.
СОКМ, КП-1260.

92. High relief. Fragment of architectural decor.
Marble-like limestone. Carving.
42 × 25 × 17.
Two-tier composition with adoration scenes: Buddha and adorants. Buddha sitting in the "padmasan" posture under the bodhi tree. In the lower register—Buddhas with their hands in the position of dharmachakramudra. In their flanks—worshipping laymen.
3rd c. A. D.
SRMLL, KP-1260.

92

98

93. Пиксида.
Слоновая кость. Обточ-
ка, гравировка.
В. 2,4. Д. 3,5.
На крышке – шестиле-
пестковая розетка.
I–II вв. н. э.
СОКМ, 1631.

93. Pyxis.
Ivory. Turning, engraving.
H. 2.4. D. 3.5.
Six-petal rosette on the lid.
1st–2nd cc. A. D.
SOKM, 1631.

93

94. Антаблемент.
Фрагмент.
Мраморовидный извест-
няк. Резьба.
42 × 38 × 12.
Многоярусная компози-
ция: нижний ярус состав-
лен из львиных морд,
чередующихся с листь-
ями аканта и цветком ло-
тоса на длинном стебле;
второй ярус – погрудные
фигуры с трилистниками
в руках под килевидными
арками, в третьем ярусе
– листья аканта и цветы
лотоса; в четвертом –
имитация деревянной
ограды – решетки, увен-
чанной зубцами – мерло-
нами.
II–III вв. н. э.
ИА, б/н.

94. Entablement. Frag-
ment.
Marble-like limestone.
Carving.
42 × 38 × 12.
Multi-tier composition.
Lower tier composed of
lions' faces, alternated with
acanthus leaves and lotus
flowers on long stems,
second tier-busts with
trifoils in their hands under
keel-shaped arches, third
tier-acanthus leaves and
lotus flowers, fourth tier-
imitation of wooden fence-
lattice topped with merlons.
2nd–3rd cc. A. D.
AI, w/n.

94

95. Карниз. Фрагмент.
Мраморовидный извест-
няк. Резьба.
17,5 × 12 × 11.
Грифон.
II–III вв. н. э.
СОКМ, КП-70.
Лит.: Пугаченкова, Рем-
пель, 1960, ил. 7.

95. Cornice. Fragment.
Marble like limestone.
Carving.
17.5 × 12 × 11.
Gryphon.
2nd–3rd cc. A. D.
SRMLL, KP-70.
Lit.: Pugachenkova, Rempel,
1960, Fig. 7.

95

96

97

96. Архитектурный де-кор. Фрагмент угловой облицовки.
Мраморовидный извест-няк. Резьба.
18 × 31 × 19,5.
Слоны среди лотосов. На ребре — колонка с шаро-видной базой на прямо-угольном плинте.
II–III вв. н. э.
СОКМ, б/н.

96. Architectural decor. Fragment of corner facing.
Marble-like limestone.
Carving.
18 × 31 × 19.5.
Elephants among lotus flowers. On the rib — a col-umn with a ball-shaped base on a rectangular plinth.
2nd–3rd cc. A. D.
SRMLL, w/n.

97. Гемма инталия.
Агат сероватый, ленточ-ный. Резьба, сверление.
2,6 × 1,8.
Два вздыбленных коня в геральдической позе, над их головами — серп луны.
VI–V вв. до н. э.
МИНУ, Н-159/19.
Лит.: Пугаченкова, 1956, с. 82–83.

97. Gemma intaglio.
Greyish agate, ribbonlike.
Carving, drilling.
2.6 × 1.8.
Two prancing horses in the heraldic postures, with a crescent over their heads.
6th–5th cc. B. C.
MHPU, N-159/19.
Lit.: Pugachenkova, 1956, pp. 82–83.

98. Гемма инталия.
Сердолик. Резьба.
1,25 × 0,41.
Человекобык – гопатшах
в профиль в высокой
тиаре с зубчатым краем.
Пехлевийская надпись.
VI–V вв. до н. э.
МИНУ, Н-159/10.
Лит.: Пугаченкова, 1956,
с. 82–83.

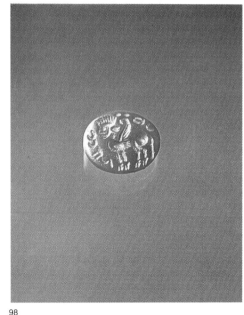

98. Gemma intaglio.
Cornelian. Carving.
1.25 × 0.41.
Man-bull "gopatshakh" in
profile in a high tiara with
toothed rim. Pekhlevi legend
6th–5th cc. B. C.
MHPU, N-159/10.
Lit.: Pugachenkova, 1956,
pp. 82–83.

98

99. Гемма инталия.
Кварц белый. Резьба.
2,2 × 2,2.
Обнаженная фигура кры-
латого гения.
III–IV вв. н. э.
МИНУ, Н-159/29.
Лит.: Пугаченкова, 1963,
с. 70.

99. Gemma intaglio.
White quartz. Carving.
2.2 × 2.2
Nude figure of a winged
genius.
3rd–4th cc. A. D.
MHPU, N-159/29.
Lit.: Pugachenkova, 1963,
p. 70.

99

КАРАТЕПА

Культовый буддийский центр, сооруженный на трех холмах, расположенных в северо-западном углу городища Старый Термез.

Представляет собой ряд связанных между собой храмово-монастырских комплексов, возникших в начале II века н. э. Особенностью архитектуры каратепинских комплексов является сочетание пещерных сооружений, вырубленных в отложениях четвертичного песчаника, и наземных построек из пахсы и сырцого кирпича.

Интерьеры святилищ украшали сюжетная и орнаментальная роспись по ганчевой штукатурке и глинолессовая скульптура. В архитектурном декоре широко применялись мрамаровидный известняк и резной ганч.

В кушанское время, согласно посвятительным надписям на керамике буддийский центр на Каратепа (или его часть) мог иметь название Кхадевакавихара – Царский монастырь (чтение В. В. Вертоградовой). Во II–III веках, благодаря поддержке кушанской администрации, каратепинский центр достигает наибольшего расцвета. В дальнейшем в IV–V веках значительная часть комплексов перестает функционировать. В это время пещеры использовались для погребений, после чего вход в них, как правило, закладывался сырцовым кирпичом. Однако, вероятно, что наряду с этим некоторые комплексы целиком или только их наземные части продолжали существовать как буддийские святилища вплоть до VI века. В IX–XII веках полузасыпанные пещеры обживались отшельниками – суфиями.

Стены каратепинских пещер сохранили многочисленные рисунки графитти и посетительские надписи (бактрийские, среднеперсидские, брахми, согдийские, сирийские (?), арабские), появляющиеся как во времени функционирования буддийского центра, так и после его упадка, когда вход в пещеры еще оставался доступным.

KARATEPA

Karatepa is a Buddhist place of worship built on three hills situated in the north-west part of Old Termez.

It includes a number of temples and monasteries that appeared in the beginning of the 2nd century A. D. The architecture of Karatepa is characterized by a combination of caves cut in quarternary sandstone, and surface buildings made of pahsa and unbaked brick.

Interiors of the shrines were decorated with topical and ornamental paintings on stucco plaster and sculptures made of loess and clay. In the architectural decor marble-like limestone and carved stucco were widely used.

During the Kushan period, as witness dedicatory inscriptions on ceramics, the Buddhist centre in Karatepa (or part of it) could have had the name of Khadevakavihara, or King's Monastery (according to V. V. Vertogradova). Thanks to support from the Kushan administration, the Karatepa centre achieved the peak of flourishing in the 2nd–3rd centuries. In the 4th–5th centuries a considerable part of the shrines stopped functioning. During that period caves were used as burial places, and entraceways were usually bricked up. However, it is highly probable that some shrines, or at least their surface parts continued to exist as Buddhist places of worship till the 6th century. In the 9th–12th centuries hermits called "sufi" settled in semi-destroyed caves.

The walls of Karatepa caves still carry numerous grafitti drawings and visitors inscriptions (Bactrian, Middle Persian, Brahmi, Soghdian, Syrian (?), Arabic), made both when the Buddhist centre was functioning and in the period of its decline when caves were still accessible.

100. Кувшин двуруч-
ный.
Глина, обжиг. Формовка
на гончарном круге. Крас-
ный ангоб, полосчатое
лощение.
В. 23. Д. 15.
Полосы лощения обра-
зуют ромбическую сетку.
II–IV вв. н. э.
ГМИНВ, б/н.

101. Кувшин узкогор-
лый одноручный с труб-
чатым сливом.
Глина, обжиг. формовка
на гончарном круге. Крас-
ный ангоб, полосчатое
лощение.
В. 24. Д. 17.
II–IV вв. н. э.
ГМИНВ, Т, 73 к-т/б/н-26.

100. Two-handled jug.
Clay, kilning. Moulding on
the potter's wheel. Red
engobe, striped polishing.
H. 23. D. 15.
Polished stripes form a
rhombic net.
2nd–4th cc. A. D.
SMAEP, w/n.

101. Narrow-necked
and one-handled jug with
tubular mouth. Clay, kilning.
Moulding on the potter's
wheel. Red engobe, striped
polishing.
H. 24. D. 17.
2nd–4th cc. A. D.
SMAEP, T, 73 k-t/w/n-26.

100, 102

102. Чаша.
Глина, обжиг. Формовка
на гончарном круге. Крас-
ный ангоб, полосчатое
лощение.
В. 7,5. Д. 17.
Снаружи по краю верти-
кальные полосы лоще-
ния.
II–IV вв. н. э.
ГМИНВ, б/н.

102. Bowl.
Clay, kilning. Moulding on
the potter's wheel. Red
engobe, striped polishing.
H. 7.5. D. 17.
Outside, along the rim, vertical polished stripes. 2nd–
4th cc. A. D.
SMAEP, w/n.

103. Чаша.
Глина, обжиг. Формовка
на гончарном круге. Крас-
ный ангоб, полосчатое
лощение.
В. 5. Д. 16,5.
Ангоб снаружи по краю и
на внутренней поверхно-
сти. Внутри пересекаю-
щиеся полосы лощения
образуют многолепест-
ковую розетку.
II–IV вв. н. э.
ГМИНВ, б/н.

103. Bowl.
Clay, kilning. Moulding on
the potter's wheel. Red
engobe, striped polishing.
H. 5. D. 16.5.
Engobe outside along the
rim, and on the inner
surface. Inside, inter-cross-
ing polished lines form a
multi-petal rosette.
2nd–4th cc. A. D.
SMAEP, w/n.

103, 101

104. Барельеф. Фрагмент.
Ганч на глиняной основе.
Формовка в матрице с последующей доработкой.
12,5 × 9.
Голова бодхисатвы.
II–IV вв. н. э.
ВНИИР, б/н.

104

104. Bas-relief. Fragment.
Stucco on clay foundation.
Moulding in a die with subsequent finishing.
12.5 × 9.
Bodhisattva's head.
2nd–4th cc. A. D.
AUSRIR, w/n.

105. Скульптура. Фрагмент.
Глина. Лепка. Ганчевая грунтовка, роспись.
8 × 9.
Кисть руки гирляндоносца.
II–IV вв. н. э.
ВНИИР, б/н.

106. Горельеф. Скульптура. Фрагмент.
Глина. Лепка. Ганчевая грунтовка, роспись красной краской.
15 × 13.
Голова буддийского персонажа.
II–IV вв. н. э.
ВНИИР, б/н.

105. Sculpture. Fragment.
Clay. Modelling. Stucco priming, painting.
8 × 9.
Hand of a garland carrier.
2nd–4th cc. A. D.
AUSRIR, w/n.

106. High relief. Sculpture. Fragment.
Clay. Modelling. Stucco priming, painting in red colour.
15 × 13.
Head of a Buddhist character.
2nd–4th cc. A. D.
AUSRIR, w/n.

107. Скульптура. Фрагмент.
Глина. Лепка. Ганчевая грунтовка.
Полихромная роспись.
16,5 × 13.
Голова деваты.
II–IV вв. н. э.
ВНИИР, б/н.

107. Sculpture. Fragment.
Clay. Modelling. Stucco priming. Polychrome painting.
16.5 × 13.
devata's head.
2nd–4th cc. A. D.
AUSRIR, w/n.

108

108. Скульптура.
Глина. Лепка. Ганчевая грунтовка, полихромная роспись, позолота.
97 × 59 × 84.
Сидящая фигура Будды в красном одеянии с золотыми узорами. На задней стенке и правом откосе арки ниши – цветы лотоса на фоне с мелкими цветами.
II–IV вв. н. э.
ВНИИР, б/н.

108. Sculpture.
Clay. Modelling. Stucco priming, polychrome painting, gilding.
97 × 59 × 84.
Sitting Buddha in a red dress with gold patterns. On the back wall and the right-hand slope of the niche arch – lotus flowers against the background of small flowers.
2nd–4th cc. A. D.
AUSRIR, w/n.

109

109. Скульптура. Фрагмент.
Глина. Лепка. Ганчевая грунтовка. Роспись.
11 × 8 × 6.
Голова буддийского персонажа.
II–IV вв. н. э.
ГМИНВ.

109. Sculpture. Fragment.
Clay. Modelling. Stucco priming, painting.
11 × 8 × 6
Head of a Buddhist character.
2nd–4th cc. A. D.
SMAEP.

110. Реликварий.
Камень. Резьба, обточка.
46,6 × 45,5. В. 28.
Основание квадратной формы, на плинте. Верхняя часть представляет собой емкость цилиндрической формы.
II–IV вв. н. э.
ГМИНВ, б/н.

110. Reliquary.
Stone. Carving, turning.
46.6 × 45.5. H. 28.
Square foundation on a plinth. The upper part is a cilindric vessel.
2nd–4th cc. A. D.
SMFAEP, w/n.

110

111. Настенная живопись. Фрагмент.
Глиняная основа. Ганчевая грунтовка, клеевые краски.
200 × 120.
Будды и монахи, сидящие под деревом бодхи. Деталь многофигурной композиции. Монахи облачены в красновато-оранжевые плащи. Главная фигура Будды дана в увеличенном масштабе, голова обрамлена сияющим нимбом, корпус выделен мандалой.
II–IV вв. н. э.
ВНИИР.
Лит.: Ставиский, 1972, с. 77–78, 98–99, рис. 24, табл. IV.

111. Mural. Fragment.
Clay foundation. Stucco priming, size colours
200 × 120.
Buddhas and monks sitting under a bodhi tree. Detail of a composition with many characters. Monks dressed in orange-reddish cloaks. The dominating figure of the Buddha is enlarged, his head in a halo, the body enhanced by a mandala.
2nd–4th cc. A. D.
AUSRIR.
Lit.: Stavisky, 1972, pp. 77–78, 98–99, Fig. 24, Table IV.

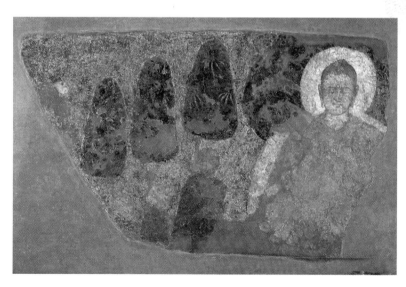

111

112

112. Настенная живопись. Фрагмент.
Глиняная основа. Ганчевая грунтовка, клеевые краски.
27 × 20.
Сидящая фигура Будды в позе „дхьяна-мудра", красное одеяние, голова выделена нимбом.
II–IV вв. н. э.
ИА.
Лит.: Стависский, 1972, табл. IV, с. 182, рис. 24, с. 78.

112. Mural. Fragment.
Clay foundation. Stucco priming, size colours
27 × 20.
Buddha sitting in a "dhiana-mudra" posture, red dress, head in a halo.
2nd–4th cc. A. D.
AI.
Lit.: Stavisky, 1972, table IV, p. 182, Fig. 24, p. 78.

ФАЯЗТЕПА

Буддийский храмово-монастырский комплекс – в 1 км к северо-западу от городища Старого Термеза.

Сооружен в I веке, имеет форму вытянутого прямоугольника 117 × 34 м, ориентированного северо-запад – юго-восток. Состоит из храма, монастыря, трапезной и отдельно стоящей ступы.

Центральной частью комплекса является храм с квадратным двором и 19-ю помещениями по периметру. Вдоль стен двора с остатками росписей проходит суфа, перекрытая многоколонным айваном. В юго-западной стороне двора – святилище. У входа в него сохранилась голова Будды в нимбе. К ней справа примыкают небольшие фигуры стоящих и сидящих будд, монахов, мирян, слева – фигуры местных божеств, идущих к Будде.

В святилище слева от входа изображены в натуральную величину две стоящие фигуры Будды и, меньших размеров, фигуры женщин. На противоположной стене – дароносцы в кушанских костюмах. На полу множество фрагментов гипсовой и глиняной скульптуры и известняковый барельеф с сидящим Буддой и двумя монахами.

Монастырская часть комплекса включала двор с айваном и 13 помещений.

С юго-востока к храму примыкала трапезная, состоявшая так же из двора и 13 помещений. В некоторых из них сохранились очаги для варки пищи, большое количество черепков с надписями кхароштхи, брахми, бактрийским и „неизвестным письмом".

На полах найдены монеты в подражание чекану Гелиокла, Вимы Кадфиза, Безымянного царя, Канишки, а в завалах – Хувишки и Васудевы.

На северо-востоке за пределами храма находится большая ступа с крестообразным основанием, в тело которой замурована маленькая, круглая в плане ступа (Д. 3. В. 2,8 м), датируемая I веком до н. э.

Комплекс снабжался водой из Амударьи при помощи водопровода протяженностью 2,5 км. (Насыпь акведука обычно определяется как северная городская стена кушанского города).

В IV веке комплекс был разграблен сасанидскими войсками (монеты Шапура I, Хормизда I) и в дальнейшем прекратил свое существование. В V – начале VI века часть его помещений используется для погребений (монеты Хормизда II и подражание монетам Пероза).

К началу IX века руины храмово-монастырского комплекса приобрели вид холма, куда был спрятан клад серебряных омейядских и аббасидских дирхемов.

FAYAZTEPA

A Buddhist temple and monastery complex in 1 km to the north-west from Old Termez.

It was built in the 1st century and had a rectangular form of 117 × 34 m spreading from north-west to south-east. It consists of a temple, a monastery, a refectory and a separately standing Stupa.

The centre of the complex ist formed by a temple with a square yard and 19 premises along its perimetre. Along the walls of the yard with the remnants of murals runs a "sufa" (raised platform) with a colonnaide. In the south-western part of the yard stands the shrine. Near the entrance there is a painting of a Buddha's head in a halo. On its right it is flanked by small figures of standing and sitting Buddhas, monks and laymen, and on its left – by figures of local deities coming toward Buddha.

Inside the shrine, to the left of the entrance, are portrayed two standing Buddha's figures, natural sizes, and figures of women of smaller sizes. On the opposite side are donators in Kushan costumes. On the floor lie numerous fragments of gypsum and clay sculptures and a limestone bas-relief showing a sitting Buddha and two monks.

The monastery included a yard with a colonnaide and 13 premises.

The refectory, also consisting of a yard and 13 premises, adjoined the temples from the south-east. In some of them there have survived hearths for cooking food, and a great number of pottery pieces with inscriptions in the kharoshthi, Brahmi, Bactrian and an unidentified scripts.

On the floor were found coins imitating the coins of Heliocles, Vima, Kadphises, Bezymianny (nameless) king and Kanishka, and under the debris – coins of Huvishka and Vasudeva.

To the north-east from the temple stands a large Stupa with a cross-shaped foundation, and a smaller round Stupa bricked-up inside, (D. 3, H. 2.8 m), dating back to the 1st century B. C.

The complex was supplied with water from the Amudarya with the help of a aqueduct 2.5 km long. (The embankment of the aqueduct is usually regarded as the north city wall of the Kushan period).

In the 4th century the complex was looted by Sassanid troops (coins of Shapoor I and Khormizd I) and soon ceased to exist. In the 5th and the early 6th centuries a part of its premises were used as burial places (coins of Khormizd II and imitations of Peroze's coins).

By the beginning of the 9th century, the ruins of the temple-and-monastery complex looked like a hill, in which a treasure of silver Homayad's and Abbasid's dirhams was hidden.

113. Статуэтка.
Глина, обжиг. Оттиск в матрице, обрезка по краю. Темно-коричневый ангоб.
13 × 4,7.
Якшини в набедренной повязке. Предплечья и щиколотки украшены браслетами. На груди – гирлянда-ожерелье, на шее – пектораль.
Случайная находка. III–IV вв. н. э.
СОКМ, 1588.
Лит.: Абдуллаев, Шейко, 1985, с. 51, рис. а.

113. Statuette.
Clay, kilning. Stamped on a die, cut along the rim. Dark-brown Engobe
13 × 4.7.
Yaksha in a loin-cloth. Arms and ankles decorated with bracelets. Necklace on the breast, and a pectural on the neck. Found by accident. 3rd–4th cc. A. D.
SRMLL, 1588.
Lit.: Abdullaev, Sheiko, 1985, p. 51, Fig. a.

113

114. Скульптура. Фрагмент.
Камень. Резьба.
В. 8.
Мужская фигура – донатор.
I–III вв. н. э.
СОКМ, 1375.

114. Sculpture. Fragment.
Stone. Carving.
H. 8.
Male figure – a donator.
1st–3rd cc. A. D.
SRMLL, 1375.

114

115. Скульптура. Фрагмент.
Камень. Резьба.
В. 9,5
Мужская фигура – донатор.
I–III вв. н. э.
СОКМ, 1373.

115. Sculpture. Fragment.
Stone. Carving.
H. 9.5.
Male figure – a donator.
1st–3rd cc. A. D.
SRMLL, 1373.

115

116. Скульптура. Фрагмент.
Гипс. Отливка в форме.
Раскраска.
8,5 × 4,5 × 3,5.
Ступня левой ноги.
Безымянная тепа. III в. н. э.
СОКМ, КП-1979-6.

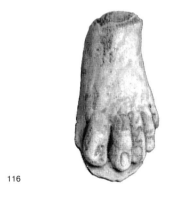

116. Sculpture. Fragment.
Gypsum. Cast in a mould.
Painted.
8.5 × 4.5 × 3.5.
Left foot.
Bezymiannaya tepa. 3rd c. A. D.
SRMLL, КР. 1979-6.

116

117. Скульптура. Фрагмент.
Гипс. Отливка в форме.
Раскраска.
16,5 × 8,5 × 8.
Ступня левой ноги, детали прорисованы красной и черной красками.
III в. н. э.
СОКМ, 1250.

117. Sculpture. Fragment.
Gypsum. Cast in a mould.
Painted.
16.5 × 8.5 × 8.
Left foot, details painted red and black.
3rd c. A. D.
SRMLL, 1250.

117

110

118. Деталь архитектурного ордера малой формы.
Мраморовидный известняк. Резьба.
В. 27. Д. 25.
Декор в виде листьев аканта. В нижней части паз 7 × 7, глубиной 4,5.
II–III вв. н. э.
СОКМ, А-1255.

118. Detail of a small-form architectural decor.
Marble-like limestone. Carving.
H. 27. D. 25.
Decor in the form of acanthus leaves. In the lower part – a groove
7 × 7, 4.5 cm deep.
2nd–3rd cc. A. D.
SRMLL, A-1255.

118

119. Настенная роспись. Фрагмент.
Глиняная основа. Клеевые краски.
78 × 63.

На фрагменте, состоящем из нескольких отдельных частей, изображены две стоящие мужские фигуры.

Часть композиционной группы, где сохранились нижние участки рисунка с изображением еще девяти персонажей. Мужчины стоят в фас с легким разворотом торса влево. Головы нарисованы в профиль и обращены в сторону Будды. Над головами – следы нимбов. Одеты в белый и желтый кафтаны с коричневой оторочкой. Правый борт кафтана закреплен на левом плече красной лентой. Правая рука обоих персонажей слегка приподнята, указательный палец согнут в жесте признания.

Судя по другим фигурам, кафтаны перетянуты поясами, а из-под них видны расставленные ноги, ступни в мягких коротких сапогах, таких же как на ногах Вимы Кадфиза, Канишки, изображенных на монетах.

О том, что здесь изображены божества, говорят нимбы и надписи над головами. Над правой

119. Mural. Fragment.
Clay foundation, size colours.
78 × 63.

The fragment consisting of separate parts shows two standing males.

It is part of a composition in which the lower fragment shows nine other characters. The men are standing en face, with their torsos slightly turned to the left. Their profiles are turned toward Buddha. Over their heads are traces of halos. The men are dressed in white and yellow tunics with brown trimming. The right-hand laps are tied to the left shoulders with red ribbons. The right hands of the characters are slightly raised, with the forefingers bent in the gesture of recognition.

Judging by the figures, their tunics are girdled with belts, and they stand with their legs apart. Their feet are dressed in short soft boots, like the ones on the coins showing Vima Kadphises and Kanishka.

Halos and inscriptions over their heads testify to the fact that these are representations of deities. Over the right-hand figure one can see the inscription "Faro" meaning a deity personifying fire.

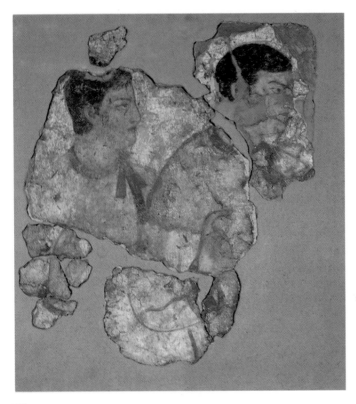

119

фигурой читается „Фаро" – эпитет божества, во-
площавшего огонь.
Святилище. I–II вв. н. э.
МИНУ, 274/67.

120. Настенная живопись.
Глиняная основа. Клеевые краски.
76 × 53.
Будда в нимбе.
I–II вв. н. э.
МИНУ, б/н.

121. Деталь украшения статуи.
Алебастр. Отливка в форме, подправка резьбой.
Д. 16,5.
В ободок из перлов вписано лицо мужчины.
Пряди волос над низким лбом разделены прямым
пробором. Брови сведены к переносице. Припух-
шие верхние веки прикрывают зрачки глубоко по-
саженных глаз. Не менее припухлы нижние веки.
Небольшой прямой нос. Рот слегка приоткрыт,
верхняя губа скрыта длинными усами, сливаю-
щимися с окладистой бородой.
С оборотной стороны видны следы ткани, с по-
мощью которой диск крепился к руке скульптуры.

Shrine. 1st–2nd cc. A. D.
MHPU, 274/67.

120. Mural.
Clay foundation, size colours.
76 × 53.
Buddha in a halo.
1st–2nd cc. A. D.
MHPU, w/n.

121. Detail of an adornment of a statue.
Alabaster. Cast in a mould, trimmed by cutting.
D. 16.5.
A frame of pearls surrounds a male face. Hair over
the low forehead is parted in the middle. Eyebrows
meet on the bridge of the nose. Heavy upper eyelids
slightly cover the pupils of deep-set eyes. The lower
eyelids are also heavy. A short straight nose. The
mouth is slightly open, and the upper lip is covered by
long moustache, reaching down to a broad and thick
beard.
On the reverse side there are traces of fabric with
the help of which the disc was fastened to the arm of

Судя по вогнутости и размерам диска, высота статуи была около 4-х м.

Можно думать, что на этом наручном украшении представлен Геракл, который, согласно мифу, на первых олимпийских играх выступал в качестве кулачного бойца. В данном случае Геракл в образе кулачного бойца, хорошо известного по скульптуре античного периода, выступает как оберег.

Святилище. I—II вв.

МИНУ, 274/66.

Лит.: Колпинский, 1939, с. 35—36.

122. Барельеф.

Известняк. Резьба.

В. 75. Ш. 62. Толщ. 28. Гл. рельефа 20.

Будда с предстоящими – триада.

Будда сидит под священным деревом бодхи, ветви которого образуют нимб, по сторонам – фигуры двух монахов. Вся композиция включена в килевидную арку, опирающуюся на колонны с капителями коринфского типа. Видны следы красной краски – основы под позолоту. Будда сидит в позе размышления (дхьяна-мудра), голова слегка наклонена вперед, веки прикрыты, лицо в спокойной самоотрешенности. Уши с оттянутыми мочками. Волосы на темени собраны в пучок, перевязанный шнуром. На лбу между бровями родинка – урна. Все тело скрыто под накидкой сангхати. Свободны только пальцы рук, продетые в специальные прорези накидки.

Святилище. I—II вв.

МИНУ, 274-1.

the statue. Judging from the size of the concavity and the disc, the statue was about 4 m high.

There is a supposition that this wrist adornment shows Hercules, of whom a myth says that he took part in the 1st Olympic Games as a fist fighter. In this case, Hercules in the guise of a fist fighter, well known from a sculpture of the antique period, is used as an amulet.

Shrine. 1st–2nd cc. A. D.

MHPU, 274/66.

Lit.: Kolpinsky, 1939, p. 35–36.

122. Bas-relief.

Limestone. Carving.

H. 75. W. 62. Th. 28. Relief 20 cm deep.

A triad: Buddha and two monks.

Buddha is sitting under the sacred bodhi tree, its branches forming a halo. Two moncs stand at his sides. The composition is inscribed into a keel-shaped arch leaning on columns with Corinthian capitals. There are traces of red paint–foundation for gilding.

Buddha is sitting in the meditation posture (dhyanamudra), his head slightly bent forward, eyes semi-closed, face aloof.

Ears with pulled down lobes. Hair is tied into a bundle on the top of the head. A mole – urna between the eyebrows. Body is covered with a cloak "sanghati". Only the fingers are showing through the slits.

Shrine. 1st–2nd cc. A. D.

MHPU, 274-1.

122

КАМПЫРТЕПА

Древнее городище (III в. до н. э. — II век н. э.), расположено на правом берегу Амударьи в Сурхандарьинской области УзССР. Городище площадью около 4 га состоит из трех частей: цитадели (80 × 80 м), жилой зоны, обнесенной крепостными стенами толщиной 5 м, с прямоугольными башнями и обведенной рвом, и неукрепленного „пригорода". На широкой площади полностью выявлена внутренняя застройка цитадели, составляющая из более чем 100 разноразмерных помещений, группирующихся в четырех блоках, разделенных коридорами. В жилой зоне вскрыт крупный архитектурный комплекс, включающий более 20 комнат. А в „пригороде" раскопаны погребальные сооружения зороастрийского типа (ката и наусы). На всем протяжении расчищена крепостная стена. Среди находок — селевкидские, греко-бактрийские и кушанские монеты, комплекс терракот, керамики, уникальные бактрийские рукописи на папирусе — древнейшие рукописи Средней Азии, датированные первой половиной II века н. э.

KAMPYRTEPA

An ancient settlement site dating back to the 3rd century B. C. – the 2nd century A. D., located on the right bank of the Amudarya river in the Surkhandarya region of the Uzbek SSR. The settlement site with an area of about 4 hectares, consists of three parts: the citadel (80 × 80 m), the residential area surrounded by fortress walls 5 m thick, with square towers and a most, and the unfortified suburb. The buildings inside the citadel have been completely uncovered. It comprises over 100 premises of different sizes, falling into four blocs divided by corridors. A large architectural complex including over 20 premises was uncovered in the residential area. Burial places of the Zoroastrian type (kata and naus) were found in the suburb. The whole of the fortress wall has been uncovered. Among the finds are Seleucid, Greco-Bactrian and Kushan coins, terracotta, ceramics and unique Bactrian manuscripts on papyrus, the most ancient manuscripts in Central Asia dating back to the first half of the 2nd century A. D.

123. Ритон или кубок. Фрагмент.
Глина, обжиг. Формовка на гончарном круге. Красный ангоб, вертикально-полосчатое лощение.
4 × 4.
Налеп в виде обезьяньей головки.
I–II вв. н. э.
ИИ, 1119/31.

123. Rhyton, or goblet. Fragment.
Clay, kilning. Moulding on the potter's wheel. Red engobe, polished vertical lines.
4 × 4.
Monkey's head stuck on.
1st–2nd cc. A. D.
IAR. 1119/31.

123

114

124. Одноручный сосуд со сливом.
Глина, обжиг. Формовка на гончарном круге, красный ангоб.
В. 8,5. Д. 6,8.
Слив оформлен в виде головы архара с изогнутыми рогами.
Погребение 2 в башне крепостной стены. II в. н. э.
ИИ, 1119/32.

124. Vessel with one handle and discharge.
Clay, kilning. Moulding on the potter's wheel, red engobe.
H. 8.5. D. 6.8.
Discharge shaped like a goat's head with twisted horns.
Burial place No. 2 in the tower of the fortress wall. 2nd c. A. D.
IAR, 1119/32.

124

125. Плакетка.
Глина, обжиг. Оттиск в матрице.
9,7 × 7.
Воин, стоящий под аркой, повернут вправо, на голове шлем с сердцевидным навершием, нащечниками и назатыльником, на торсе — кираса с треугольным вырезом на груди и воротником-стойкой. Складчатый набедренник изображен двумя рядами полосок, на голенях — поножи, в правой руке короткий греческий (ромбовидный) меч — ксифос, в левой руке овальный щит — клипеус (кельтского типа) с рельефным изображением, восходящим к орнаментике римских щитов. Поза воина — в выпаде на левую ногу, с мечом у груди и выставленным вперед щитом — передает готовность к бою.
Цитадель. III—II вв. до н. э.
ИИ.

125. Plaquette.
Clay, kilning. Stamped in a die.
9.7 × 7.
A warrior standing under the arch, facing right. On his head is a helmet with a heart-shaped top, and protective plates on the cheeks and the back of the head. On his torso is a cuirass with a triangular cut on the breast and a standing collar. Protective gear on hips in folds is shown by two rows of strips.
On the shins are protective plates, the right hand holds a short rhombic Greek sword (xiphos), the left hand holds an oval shield (clypeus) of the Celtic type with relief ornaments ascending to Roman shields. The warrior's posture—lunge on the left leg, sword at the breast and shield put forward—shows readiness for a fight.
Citadel. 3rd—2nd cc. B. C.
IAR.

125

126. Статуэтка.
Глина, обжиг. Лепка, голова оттиснута в матрице. Красный ангоб.
11,5 × 5,5–2,5.
Бородатый мужчина в головном уборе с „наушниками" и лентой сзади. На груди дисковидное украшение с трезубцем. Складки двойного одеяния – разной длины и переданы процарапанными линиями.
Цитадель, молитвенный зал. I в. до н. э.
ИИ, 1119/14.

126

126. Statuette.
Clay, kilning. Modelling head stamped on a die. Red engobe
11.5 × 5.5 × 2.5.
Bearded man in a head-dress with ear-flaps and a ribbon in the back. On the breast is a disc-shaped adornment with a trident. Folds of double dress are of different length and are shown by scratched lines.
Citadel, prayer hall. 1st c. B. C.
IAR, 1119/14.

127. Статуэтка.
Глина, обжиг. Оттиск в матрице, правка (лица). Подрезка по контуру. Красный ангоб.
В. 10. Ш. 4,5.
Божественная супружеская пара в эротической позе („митхуна"). Лица с широкими приплюснутыми носами и толстыми губами. На голове у женщины головной убор (возможно с рогами?). Сцена митхуны характерна для древней Индии и Ближнего Востока.
Цитадель, святилище. I в. до н. э.
ИИ, 1119/26.

127

127. Statuette.
Clay, kilning. Stamped on a die, trimming (of the face). Trimming along the contour. Red engobe.
H. 10. W. 4.5.
A divine couple in the erotic posture ("mithuna"). Faces with broad flat noses and thick lips. The woman wears a headdress (possibly with horns?). Mithuna scenes are characteristic of ancient India and the Near East.
Citadel, shrine. 1st c. B. C.
IAR, 1119/26.

128. Статуэтка.
Глина, обжиг. Оттиск в матрице, подрезка по контуру. Красный ангоб.
В. 16,8. Ш. 5,5.
Обнаженная фигура женщины. Черты лица плохо различимы из-за порчи поверхности, на голове невысокий тюрбан, поза статичная, руки прижаты к бедрам, ноги сомкнуты.
Цитадель, северо-западный комплекс, молитвенный зал. II в. до н. э. – I в. н. э.
ИИ, 1119/12.
Лит.: Савчук, 1984, с. 39, рис. 1, г.

128

128. Statuette.
Clay, kilning. Stamped on a die, trimming along the contour. Red engobe.
H. 16.8. W. 5.5.
Nude female. Face indiscernable because of spoilt surface. Low turban on the head. Static posture. Arms pressed to the hips. Legs together.
Citadel, north-western complex, prayer hall.
2nd c. B. C. – 1st c. A. D.
IAR, 1119/12.
Lit.: Savchuk, 1984, p. 39, Fig. 1, (d.)

129. Статуэтка. Фрагмент.
Глина, обжиг. Оттиск в матрице. Красный ангоб.
3,3 × 2,8.
Голова женщины в маленькой цилиндрической шапочке. Волосы уложены буклями и завитками „зульф" на лбу и щеках.
I в. до н. э. – I в. н. э.
ИИ, 1119/11.
Лит.: Савчук, 1984, с. 39, рис. 1, в.

129

129. Statuette. Fragment.
Clay, kilning. Stamped on a die. Red engobe.
3.3 × 2.8.
Female head in a small cylindric cap. Hair in ringlets and "zulf" curls on the forehead and chicks.
1st c. B. C. – 1st c. A. D.
IAR, 1119/11.
Lit.: Savchuk, 1984, p. 39, Fig. 1, c.

130. Статуэтка. Фрагментирована.
Глина, обжиг. Оттиск в матрице, подрезка по контуру. Красный ангоб.
12,3 × 4,8–5,4.
Обнаженная фигура женщины. На шее ожерелье из дисковидных пластин, грудь перехвачена перекрещенными лентами, в правой согнутой руке – зеркало или цветок, левой слегка опирается на крутой изгиб бедра, ноги расставлены.
Цитадель. Конец I – начало II в. н. э.
ИИ, 1119/25.

130

130. Statuette. Fragments.
Clay, kilning. Stamped on a die, cut along contour. Red engobe.
12.3 × 4.8 × 5.4.
Nude female. Necklace of disc-shaped plates, breast tied with crossing ribbons, right hand holds a mirror or a flower, left hand placed on steep hip, legs apart.
Citadel. End of the 1st–beginning of the 2nd cc. A. D.
IAR, 1119/25.

131. Статуэтка.
Глина, обжиг. Лепка, насечки, наколы.
11,5 × 5–6,2.
Козлоногий нагой сатир. На голове шапочка, длинная борода передана насечками – „елочкой“, орлиный нос, круглые глаза-ямки. Поза эротическая, левая рука у паха, сзади – широкий хвост.
Цитадель. Конец I – начало II в. н. э.
ИИ, 1119/22.

131

131. Statuette.
Clay, kilning. Modelling, notches, punctures.
11.5 × 5–6.2.
Goat's leg nude satyr. Cap on the head, long beard shown as herring–bone cuts, aquiline nose, round eyes shown as impressions. Erotic posture, left hand near the groin, broad tale behind.
Citadel. End of the 1st–beginning of the 2nd c. A. D.
IAR, 1119/22,

132. Статуэтка.
Глина, обжиг. Тело лепное, голова оттиснута в матрице.
12,2 × 5,5.
Козлоногий нагой сатир. Бородатую голову с серьгой в правом ухе венчает цилиндрическая шапочка с висячим украшением в виде грибка, в руках – вертикальная флейта. Видны следы отбитого хвоста.
Цитадель, святилище. Конец I – начало II в. н. э.
ИИ, 1119/23.

132

132. Statuette.
Clay, kilning. Modelled body, head stamped on a die.
12.2 × 5.5.
Nude satyr. Bearded head with an ear-ring in the right ear is topped with a cylindric cap with mushroom-shaped pendant, flute vertically held in the hands. Traces of a broken off tail.
Citadel, shrine. End of the 1st–beginning of the 2nd c. A. D.
IAR, 1119/23.

133. Статуэтка.
Глина, обжиг. Оттиск в матрице, подправка ножом по контуру.
Красный ангоб.
7,2 × 2,3–4,2.
Карлик-адорант. Длинные волосы уложены буклями, на голове шапочка. Одет в длинный распахнутый халат, в сомкнутых руках шаровидный предмет. Обнаженные ноги похожи на птичьи. Цитадель, святилище. Конец I – начало II в. н. э.
ИИ, 1119/24.

133

133. Statuette.
Clay, kilning. Stamped on a die, cut with knife along the contour. Red engobe.
7.2 × 2.3–4.2.
Dwarf adorant. Long hair in ringlets, cap on the head. Dressed in long robe flung open, a ball-shaped object in clasped hands. Naked legs look like those of a bird.
Citadel, shrine. End of the 1st–beginning of the 2nd c. A. D.
IAR, 1119/24.

134. Матрица для производства статуэток. Фрагмент.
Глина, обжиг. Оттиск с патрицы.
13,5 × 8.
Голова юноши, лицо округлое, короткие волосы прически уложены локонами. По сколу утраченной левой руки можно думать, что она была поднята.
Цитадель. Конец I – начало II в. н. э.
ИИ, 1119/17.
Лит.: Савчук, 1984, с. 39, рис. 1, а, б.

134. Die for making statuettes. Fragment.
Clay, kilning. stamped with the punch.
13.5 × 8.
Head of a youth, with round face and short hair in curls. Judging from the remnant of the broken left arm, it was raised.
Citadel. End of the 1st-beginning of the 2nd c. A. D.
IAR, 1119/17.
Lit.: Savchuk, 1984, p. 39, Fig. 1, a, b.

134

135. Плакетка.
Глина, обжиг. Оттиск в матрице.
9,5 × 8.
Фигура, держащая на руках козлоногого младенца. Цитадель, восточный культовый комплекс. I–II вв. н. э.
ИИ, 1119/30.

135. Plaquette.
Clay, kilning. Stamped on a die.
9.5 × 8.
Figure holding a baby with goat's legs.
Citadel, eastern shrine. 1st–2nd cc. A. D.
IAR, 1119/30.

135

136. Статуэтка.
Глина необожженная. Лепка. Красный ангоб, раскраска черным.
17,6 × 9,5.
Нагая богиня. Черты лица и треугольник лобка прорисованы черными линиями, волосы, уложенные на затылке в узел, окрашены в черный цвет, на шее – гривна, в левой руке фигурка голубя, в правой – шаровидный предмет. На теле сохранились фрагменты красной шелковой ткани.
Погребение 1 в башне. II в. н. э.
ИИ, 1119/18.

136

136. Statuette.
Clay, raw. Modelling. Red engobe, painted black.
17.6 × 9.5.
Nude goddess. Face and pubis drawn in black lines, hair done in a bundle on the back of the head and painted black, pendant on the neck, figure of a dove in left hand, a ball-shaped object – in the right hand. Fragments of red silk fabric preserved on the body.
Burial No. 1 in the tower.
2nd c. A. D.
IAR, 1119/18.

137. Статуэтка.
Дерево, серебро. Резьба, тиснение.
10,2 × 4,3.
Мужская фигурка. На голове конусовидная шапка, лицо с короткой бородой, короткая куртка подвязана узким поясом, на ногах драпирующиеся шаровары.
Цитадель, „лавка ювелира" (?). Конец I – начало II в. н. э.
ИИ, 1119/19.

137. Statuette.
Wood, silver. Carving, printing.
10.2 × 4.3.
Male figure. Cone-shaped cap on the head, face with a short beard, short tunic girdled with narrow belt, draped wide trousers on the legs.
Citadel, jeweller's shop (?). End of the 1st – beginning of the 2nd c. A. D.
IAR, 1119/19.

137

138. Шпилька.
Латунь. Литье.
Дл. 10,8. Сечение 0,1–0,6.
Навершие в виде сжатой в кулак правой руки.
Случайная находка. I–II вв. н. э.
ИИ.

138. Hairpin.
Brass, casting.
L. 10.8. Cross-section 0.1–0.6.
Top in the form of the right hand clenched in a fist.
Found by accident. 1st–2nd cc. A. D.
IAR.

139. Шпилька.
Бронза. Литье.
Дл. 8. Сечение 0,1–1,2.
Навершие в виде двух полых полусфер, с черным ароматическим (?) веществом внутри.
Цитадель. I–II вв. н. э.
ИИ, 1119/60.

139. Hairpin.
Bronze, casting.
L. 8. Cross-section 0.1–1.2.
Top in the form of two hollow semi-spheres, with black aromatic (?) substance inside.
Citadel. 1st–2nd cc. A. D.
IAR, 1119/60.

140. Шпилька.
Слоновая кость. Выточка на станке, резьба.
Дл. 9,7. Сечение 0,2–0,5.
Навершие оформлено резными бороздками.
Погребение 2 в башне крепостной стены. II в. н. э.
ИИ, 1119/42.

140. Hairpin.
Ivory. Turning, carving.
L. 9.7. Cross-section 0.2–0.5.
Top decorated with grooves.
Burial No. 2 in the fortress wall tower. 2nd c. A. D.
IAR, 1119/42.

141. Пряжка. Фрагмент.
Бронза. Литье.
5,2 × 5,2.
Возможно, сцена единоборства: всадник в короткой куртке и шароварах, за спиной – крыло, оседланная и взнузданная лошадь припала на передние ноги.
Цитадель. III–II вв. до н. э.
ИИ, 1119/29.

141. Clasp. Fragment.
Bronze, casting.
5.2 × 5.2.
Probably, a fighting scene: horseman in a short jacket and wide trousers, a wing on his back, a saddled and bridled horse fell on its fore hinges.
Citadel. 3rd–2nd cc. B. C.
IAR, 1119/29.

141

142. Зеркало с ручкой.
Бронза. Литье, ковка.
Д. 15,3.
На лицевой стороне рельефное изображение головы в профиль вправо, на оборотной – широкий рельефный ободок и „шишка" в центре.
Цитадель. Конец I – начало II в. н. э.
ИИ, 1119/75.

142. Mirror with a handle.
Bronze. Casting, forging.
D. 15.3.
On the face side – relief of a head in profile turned right, the back side – a wide relief rim and a "cone" in the centre.
Citadel. End of the 1st–beginning of the 2nd c. A. D.
IAR, 1119/75.

143. Курильница с ножками в виде протомы грифона.
Бронза. Литье.
В. 6,8.
Конусовидная чаша резервуара, судя по отверстиям от заклепок, опиралась на три ножки, из которых сохранилась одна. В рожках грифона были утраченные ныне вставки из цветного камня или стекла.
Цитадель. I в. до н. э. – I в. н. э.
ИИ, 1119/30.

143. Incense-burner with legs shaped like protomes of a gryphon.
Bronze, casting.
H. 6.8.
Judging from the holes left by rivets, the cone-shaped cup stood on three legs, of which one has survived. In the gryphon's horns there were insets of the coloured stone or glass.
Citadel. 1st c. B. C.–1st c. A. D.
IAR, 1119/30.

144. Миниатюрная база колонны.
Мрамор. Обточка на станке.
В. 13,5. Д. 12,3.
Круглое углубление в центре для крепления ствола колонны.
Цитадель, святилище. Конец I – начало II в. н. э.
ИИ, 1119/143.

144. Miniature base of a column.
Marble. Turning.
H. 13.5. D. 12.3.
Round impression in the centre for fastening the body of the column.
Citadel, shrine. End of the 1st–beginning of the 2nd c. A. D.
IAR, 1119/143.

144

145. Капитель. Фрагмент.
Известняк. Резьба.
10,5 × 9,5.
Изображение льва в акантовых листьях. На тыльной стороне выступает крепежный стержень.
I–II вв. н. э.
ИИ, 1119/101.

145. Capital. Fragment.
Limestone. Carving.
10.5 × 9.5.
Lion among acanthus leaves. On the back side – a rod for fastening.
1st–2nd cc. A. D.
IAR, 1119/101.

145

ДАЛЬВЕРЗИНТЕПА

Городище расположено в долине реки Сурхандарьи на берегу Кармакисая в 7 км к северу от современного районного центра Шурчи. Первоначальное поселение возникло на южной части песчано-лессового плато в III—II веках до н. э. Исследователи городища предполагают, что крепостная стена греко-бактрийского времени окружила уже сформировавшееся поселение с плотной нерегулярной застройкой (многогранник в плане; 170—200 м в поперечнике). Разрушение греко-бактрийского города связывают с нашествием саков на Бактрию (140—130 гг. до н. э.). Его возрождение начинается в раннекушанское время. Вокруг города возводится крепостная стена, ограждающая правильный прямоугольник площадью 32,5 га, сооруженная с учетом дальнейшего роста внутригородской застройки. На остатках греко-бактрийских стен, послуживших платформой, возводятся новые укрепления. С этого момента первоначальный город начинает выполнять функции цитадели. Г. А. Пугаченкова считает Дальверзин удельной столицей кушан Ходзо, упоминаемой в источниках.

Расцвет города приходится на II — первую половину III века н. э. Он имел регулярную жилую застройку, в которой выделяются кварталы рядовых и богатых горожан. В это время здесь существовали храмы различной религиозной принадлежности: в центре города располагался буддийский храм, а у северной городской стены — храм местной богини. Юго-западный угол городища занимал квартал гончаров. В северной округе города сохранились зороастрийский наус и буддийское святилище.

Город, вероятно, был разрушен во второй половине III века н. э. (в результате похода сасанидских войск?).

В VI—VII веках происходит временное обживание цитадели, которая существовала как неукрепленное поселение. К этому периоду относятся погребения в оплывах крепостных стен кушанского города.

DALVERZINTEPA

The settlement site is located in the Surkhandarya river valley, on the bank of Karmakisai, in 7 km to the north from the present-day district centre Shurchi. Initially, the settlement was built in the southern part of the sand-and-loess plateau in the 3rd—2nd centuries B. C. Researchers suppose that the fortress wall of the Greco-Bactrian period surrounded an already existing settlement with an irregular and dense layout (a polyhedron in a plan; 170—200 m across). The destruction of the Greco-Bactrian settlement is associated with the invasion of Bactria by the Sakas (140—130 B. C.). Its revival began in the Early Kushan period. The settlement was surrounded with a fortress wall, which enclosed a rectangle with an area of 32.5 hectares, built with a view to the further growth of the settlement. New fortifications were built on the remnants of the Greco-Bactrian walls, used as a platform. Since then the initial settlement served as the citadel. G. A. Pugachenkova considers Dalverzin to have been the crown capital of the Kushans Khodzo mentioned in written sources.

The flourishing of the city falls on the 2nd — the first half of the 3rd centuries A. D. It had a regular layout, with clear-cut residential areas of rich and poor townsmen. At that time the settlement had temples of different religions. In the centre of the city stood a Buddhist temple, and near the northern wall – a temple of a local goddess. A residential neighbourhood of potters occupied the south-western part of the settlement. A Zoroastrian naus and a Buddhist shrine have survived in the northern part of the settlement.

The settlement was probably destroyed in the second half of the 3rd century A. D. (as a result of a campaign of Sasanid troops).

In the 6th—7th centuries the citadel was temporarily made habitable and existed as an unfortified settlement. Burials in the fallen parts of the fortress wall of the Kushan period date back to that period of time.

124

146. Амфоровидный ритон.
Глина, обжиг. Формовка на гончарном круге, налепы. Ангоб.
В. 21. Д. 12.
Яйцевидное тулово с узким горлом. На плечиках следы вертикальных ручек. В основании горловины – ряд круглых налепов, под ними – налеп в виде головы барана.
II–III вв. н. э.
ИИ.
Лит.: Дальверзинтепе, 1978, с. 134, рис. 95.

146

146. Amphora-shaped rhyton.
Clay, kilning. Moulding on the potter's wheel, stuck-on details. Engobe.
H. 21. D. 12.
Egg-shaped body with the narrow neck. On shoulders- traces of vertical handles. At the base of the neck – a number of round stuck-on details, below them – a detail shaped like a ram's head.
2nd–3rd cc. A. D.
IAR.
Lit.: Dalverzintepe, 1978, p. 134, Fig. 95.

147. Статуэтка. Фрагмент.
Глина, обжиг. Оттиск в матрице с последующей проработкой деталей.
6 × 4.
Женщина с высокой прической, перехваченной двойной лентой, на лбу- морщины. На щеках налепные кружочки, в ушах крестообразные серьги с подвесками.
I–II вв. н. э.
ИИ.
Лит.: Дальверзинтепе, 1978, с. 162, рис. 113.

147

147. Statuette. Fragment.
Clay, kilning. Stamped on a die with subsequent finishing.
6 × 4.
Woman with a high hairdo, tied up with double ribbon, wrinkles on her forehead. On the cheeks are small round plates, in the ears are cross-shaped ear-rings with pendants.
1st–2nd cc. A. D.
IAR.
Lit.: Dalverzintepe, 1978, p. 162, Fig. 113.

148. Статуэтка.
Глина, обжиг. Оттиск в матрице с последующей проработкой деталей. Красный ангоб.
10 × 5.
Женщина с диадемой на голове, на шее – ожерелье; платье, под грудью стянутое поясом, ниже бедер расходится веерообразными складками.Правая рука, согнутая в локте, лежит на животе, левая на бедре.
I–II вв. н. э.
ИИ.

148. Statuette.
Clay, kilning. Stamped on a die with subsequent finishing. Red engobe.
10 × 5.
Woman with a diadem on her head and a necklace. Her dress is girdled below the breast, the pleats of the skirt radiating from the hips downward. Her right arm, bent in the elbow, rests on the stomach, her left arm reposes on the hip.
1st–2nd cc. A. D.
IAR.

148

149

149. Печать.
Глина, обжиг. Оттиск с патрицы.
2,5 × 2 × 1.
Углубленное изображение гиппокампа.
I–II вв. н. э.
ИИ.

149. Seal.
Clay, kilning. Impression from a punch.
2.5 × 2 × 1.
Impressed representation of hippocampus.
1st–2nd cc. A. D.
IAR.

150. Поставец.
Глина, обжиг. Лепка, резьба. Красный ангоб.
16,3 × 19 × 15.
Ящичек без передней стенки, открытый сверху, оформлен сквозными прорезями и треугольными зубцами по верхнему краю – имитирует архитектурные формы и декор.
II–III вв. н. э.
ИИ.
Лит.: Дальверзинтепе, 1978, с. 135, рис. 96.

150. Dresser.
Clay, kilning. Modelling, carving. Red engobe.
16.3 × 19 × 15.
A box without the front wall, open from the top, decorated with slits and triangular teeth along the top rim, imitating architectural forms and decor.
2nd–3rd cc. A. D.
IAR.
Lit.: Dalverzintepe, 1978, p. 135, Fig. 96.

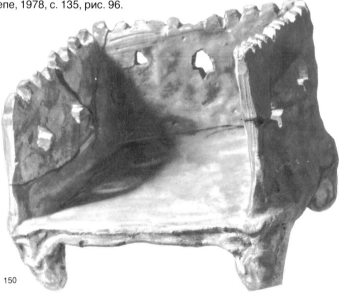

150

151. Курильница.
Глина, обжиг. Лепка, резьба. Красный ангоб.
Дл. 12. В. 10.
Цилиндрический стержень с дисковидным основанием на трех ножках, украшен головками баранов.
I–II вв. н. э.
ИИ.
Лит.: Дальверзинтепе, 1978, с. 212.

151. Incense-burner.
Clay, kilning. Modelling, carving. Red engobe.
L. 12 H. 10.
Cylindric rod with a disc-shaped foundation on three legs. Decorated with ram heads.
1st–2nd cc. A. D.
IAR.
Lit.: Dalverzintepe, 1978, p. 212.

151

152. Алтарь-куриль-
ница.
Мергелистый известняк.
Резьба.
Основание 10 × 11. В. 18.
Курильница в форме ал-
таря, четырехгранная, на
четырех угловых ножках,
с резервуаром в верхней
части. Основание и кар-
низ профилированы и ор-
наментированы пояска-
ми, углы граней в средней
части ствола курильницы
стесаны и образуют в се-
чении восьмигранник.
I–II вв. н. э.
ИИ.
Лит.: Дальверзинтепе,
1978, с. 139, рис. 99.

152

152. Altar-insense-
burner.
Marl limestone. Carving.
Base 10 × 11. H. 18.
Incense-burner in the form
of an altar, tetrahedral, with
four legs at corners, and a
vessel in the upper part.
The base and the cornice
profiled and decorated with
belts, the facets in the
middle part of the trunk are
cut to form an octahedron in
the cross-section.
1st–2nd cc. A. D.
IAR.
Lit.: Dalverzintepe, 1978,
p. 139, Fig. 99.

153. Туалетный диск.
Мраморовидный из-
вестняк. Резьба.
Д. 8.
Верхнюю половину диска
занимает барельефная
композиция – всадник на
гиппокампе; нижняя по-
ловина – углубленный по-
лукруг-резервуар.
Начало I в. н. э.
ИИ.
Лит.: Дальверзинтепе,
1978, с. 139, рис. 99.

153

153. Toilet disk.
Marble-like limestone.
Carving.
D. 8.
The upper part of the disk is
decorated with a bas-relief
showing a rider on hyppo-
campus; the lower part is a
semicircular reservoir.
Early 1st c. A. D.
IAR.
Lit.: Dalverzintepe, 1978,
p. 139, Fig. 99.

154

154. Игральная кость. Слоновая кость. Полировка, гравировка.
9,5 × 1,5 × 1,5.
На четырех гранях параллелепипеда изображены: павлин, два вступающих в бой петуха, три голубя и четыре голубя.
I—II вв. н. э.
ИИ.
Лит.: Дальверзинтепе, 1978, с. 60—61, рис. 36.

154. Die.
Ivory. Polishing, engraving.
9.5 × 1.5 × 1.5.
The four facets of the parallelepiped show a peacock, two fighting cocks, three doves and four doves.
1st—2nd cc. A. D.
IAR.
Lit.: Dalverzintepe, 1978, pp. 60—61, Fig. 36.

155

155. Шахматная фигурка.
Слоновая кость. Резьба, полировка.
2,9 × 2,4 × 1,8.
Слон.
II в. н. э.
ИИ.
Лит.: Дальверзинтепе, 1978, с. 39—40, рис. 21—2.

155. Chessman.
Ivory. Carving, polishing.
2.9 × 2.4 × 1.8.
Elephant.
2nd c. A. D.
IAR.
Lit.: Dalverzintepe, 1978, pp. 39—40, Fig. 21—2.

156. Гребень.
Слоновая кость. Полировка, резьба, гравировка.
9,2 × 6,5–7,8.
Трапециевидной формы, украшен с обеих сторон многофигурными детально разработанными композициями, обрамленными снизу орнаментальным пояском. Сюжеты композиций: „Дама за туалетом", „Наездницы на слоне". Индийский импорт.
II–III вв. н. э.
ИИ.
Лит.: Дальверзинтепе, 1978, с. 137, рис. 97, а, с. 220, рис. 154.

156

156. Ivory. Polishing, carving, engraving.
9.2 × 6.5–7.8.
Trapezoid, decorated with detailed compositions on both sides, with ornamental belts below. The subjects of the compositions: "Lady making her toilet", "Women riding an elephant". Indian import.
2nd–3rd cc. A. D.
IAR.
Lit.: Dalverzintepe, 1978, p. 137, Fig. 97, a, p. 220, Fig. 154.

157 – 162

157. Брусок с надписью.
Золото.
Отливка в форме.
85 × 24 × 22. Вес 897,27.

157. Bar with a legend.
Gold.
Cast in a mould.
85 × 24 × 22. Weight 897.27.

Надпись выполнена пунсоном, письмом кхарошт-хи: „Дано богом Митрой", по палеографическим признакам относится к I в. н. э.
Жилой дом. ДТ-5, помещение 13. I в. н. э.
МАЮИ, КП-28896.
Лит.: Пугаченкова, 1978, с. 92.

158. Брусок с надписью.
Золото.
Отливка в форме.
68 × 17 × 16. Вес 358,29.
Надпись выполнена пунсоном, письмом кхарошт-хи, и обозначает вес и пробу золота.
Жилой дом. ДТ-5, помещение 13. I в. н. э.
МАЮИ, КП-28915.
Лит.: Пугаченкова, 1978, с. 92.

159. Серьга.
Золото.
Литье, ковка, зернь (гранулирование).
Дл. З. Д. 1,4. Вес 9,05.
Верхняя часть серьги в виде полого цилиндра, ор-наментированного сеткой четырехлепестковых розеток, внутри которых мелкие шестилепестко-вые зерневые розетки. Вверху цилиндра напаяна пластина, к которой прикреплена дужка в виде головы змеи.
Жилой дом. ДТ-5, помещение 13. I в. н. э.
МАЮИ, КП-28929.
Лит.: Пугаченкова, 1978, с. 98—99.

160. Пектораль.
Золото, сердолик.
Литье, ковка, пайка, резьба по камню (глиптика).
Д. 14,5—11,7. Вес 215,56.
Шейное украшение из трех концентрических по-лукружий, соединенных с одной стороны замком, с другой – фигурно обработанным квадратом, в гнездо которого вставлена гемма инталия с изображением головы Геракла.
Жилой дом. ДТ-5, помещение 13. I в. н. э.
МАЮИ, КП-28923.
Лит.: Пугаченкова, 1978, с. 96—97.

161. Ожерелье.
Золото, альмандины, бирюза.
Ковка, пайка, плетение.
Дл. в развороте 61,5. Вес. 282,09.
Шейное украшение, состоящее из пяти шнуров. Каждый шнур сплетен косичкой из восьми прово-лочек. Шнуры закреплены в отверстиях пластин, составляющих верхнюю часть цилиндрических трубочек, нижние части которых закрыты также пластинками с крупными петлями. Цилиндры украшены напаянными гнездами, в которые

The legend made by punch, in the Kharosthi script: "Given by God Mitra", paleographic signs date back to the 1st c. A. D. House. DT-5, room 13. 1st c. A. D.
MAj КП-28896.
Lit.: Pugachenkova, 1978, p. 92.

158. Bar with a legend.
Gold.
Cast in a mould.
68 × 17 × 16. Weight 358.29.
Legend made by punch, in the Kharosthi script, gives its weight and gold standard.
House. DT-5, room 13. 1st c. A. D.
MAj, КП-28915.
Lit.: Pugachenkova, 1978, p. 92.

159. Ear-ring.
Gold.
Casting, forging and graining.
L. 3. D. 1.4. Weight 9.05.
The upper part of the ear-ring is a hollow cylinder, decorated by a net of four-petal rosettes, with small six-petal grain rosettes inside. The cylinder is soldered to a plate, to which a hoop shaped like a snake head, is fastened.
House. DT-5, room 13. 1st c. A. D.
MAj, КП-28929.
Lit.: Pugachenkova, 1978, p. 98—99.

160. Pectoral.
Gold, cornelian.
Casting, forging, soldering, carving (glyptics).
D. 14.5—11.7. Weight 215.56.
Neck adornment made of three concentric semi-circles, fastened at one end with a lock, and at the other—with ornamented square with an inlaid gemma intaglio representing Hercules' head.
House. DT-5, room 13. 1st c. A. D.
MAj, КП-28923.
Lit.: Pugachenkova, 1978, pp. 96, 97.

161. Necklace.
Gold, almandines, turquoise.
Forging, soldering, cloisonné.
Total length 61.5 Weight 282.09.
Necklace consisting of five cords. Each cord is plaited of eight wires. Cords are fastened to apertures in plates, forming the upper part of small cylindrical pipes, their lower parts also covered with plates with large loops. Cylinders decorated with soldered—on sockets with inlaid almandines, turquoise. Gems are round.
House. DT-5, room 13. 1st c. A. D.

вставлены альмандины и бирюза. Форма камней округлая.
Жилой дом. ДТ-5, помещение 13. I в. н. э.
МАЮИ, КП-28926.
Лит.: Пугаченкова, 1978, с. 96–97.

MAj, КП-28926.
Lit.: Pugachenkova, 1978, pp. 96–97.

162. Бляха.
Золото.
Литье, пайка, зернь (гранулирование).
Д. 4,7. Рельеф до 0,9. Вес 75,20.
Крупная бляха с припаянным ушком, передает в высоком рельефе извивающегося ушастого зверя, свернутого и обрамленного полосой с гнездами для вставки драгоценных камней. Могла служить деталью пояса или пряжкой для верхней одежды.
Жилой дом. ДТ-5, помещение 13. I в. до н. э. – I в. н. э.
МАЮИ, КП-28927.
Лит.: Пугаченкова, 1978, с. 102.

162. Buckle.
Gold.
Casting, soldering, graining.
D. 4.7. Relief up to 0.9. Weight 75.20.
Large buckle with a soldered loop, showing in high relief a wriggling big-eared animal, rolled up and framed with a strip with sockets for gems. Could have served as a buckle on a belt, or a clasp for an outer garment.
House. DT-5, room 13. 1st c. B. C. – 1st c. A. D.
MAj, КП-28927.
Lit.: Pugachenkova, 1978, p. 102.

163

163. Колоколец.
Бронза. Литье в орнаментированную форму.
В. 4. Д. 3.
Округло-конический с рифленой поверхностью, на вершине – петелька для подвешивания.
I–II вв. н. э.
ИИ.
Лит.: Дальверзинтепе, 1978, с. 115–143.

163. Bell.
Bronze. Cast in an ornamented mould.
H. 4. D. 3.
Cone-shaped with grooved surface, and a loophole at top.
1st–2nd cc. A. D.
IAR.
Lit.: Dalverzintepe, 1978. pp. 115–143.

164. Настенная живопись. Фрагмент.
Глиняная основа. Гипсовая грунтовка, клеевые краски.
27 × 26.
Жрец держит в поднятых руках младенца.
Храм. I в. н. э.
ИИ.
Лит.: Пугаченкова, Ртвеладзе, 1978, с. 80–81.

164. Mural. Fragment.
Clay foundation. Gypsum priming, size colours.
27 × 26.
Priest holding baby in raised arms.
Temple. 1st c. A. D.
IAR.
Lit.: Pugachenkova, Rtveladze, 1978, pp. 80–81.

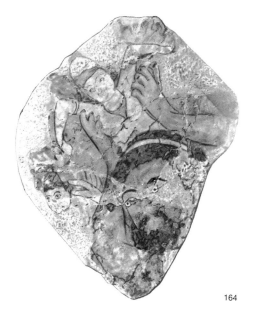

164

165. Настенная живопись. Фрагмен г.
Глиняная основа. Ганчевая грунтовка, клеевые краски.
13 × 10,5.
Голова женщины.
Храм. ДТ-7. I в. н. э.
ИИ.
Лит.: Дальверзинтепе, 1978, с. 80, 81.

165

165. Mural. Fragment. Clay foundation. Stucco priming, size colours.
13 × 10.5.
Female head.
Temple. DT-7. 1st c. A. D.
IAR.
Lit.: Dalverzintepe, 1978, pp. 80, 81.

166. Скульптура. Фрагмент.
Глина на каркасе. Лепка. Гипсовая грунтовка, раскраска (черный, красный).
19 × 15 × 12,5.
Голова женщины. Волнистые волосы заплетены на затылке в косу и перетянуты начельной повязкой.
Храм. ДТ-7. I в. н. э.
ИИ.
Лит.: Дальверзинтепе, 1978, с. 81, рис. 56.

166

166. Sculpture, Fragment.
Clay on carcass. Modelling. Gypsum priming, painting (black, red).
19 × 15 × 12.5.
Female head. Wavy hair plaited at the back and tied up with a headband.
Temple. DT-7. 1st c. A. D.
IAR.
Lit.: Dalverzintepe, 1978, p. 81, Fig. 56.

167. Скульптура. Фрагмент.
Гипс, отливка в форме, оттиски штампа. Раскраска.
10 × 12,1.
Голова мужчины. Букли прически штамповались отдельно и затем наклеивались.
II—III вв. н. э.
СОКМ, 943.

167. Sculpture. Fragment.
Gypsum, casting in a mould, stamping. Painting.
10 × 12.1.
Male head. Curls of the hairdo stamped separately and then glued to the head.
2nd—3rd cc. A. D.
SRMLL, 943.

167

168. Скульптура. Фрагмент.
Глина на каркасе. Лепка, формовка штампом (завитки волос, ушниша). Гипсовая грунтовка, раскраска (черный, синий?).
40 × 25 × 30.
Голова Будды. На темени волосы собраны пучком — ушнишей.
Храм. ДТ-25. III в. н. э.
ИИ.

168. Sculpture. Fragment.
Clay on carcass. Modelling, stamping (curls, ushnisha). Gypsum priming, painting (black, dark-blue?).
40 × 25 × 30.
Buddha's head. Hair done in a bundle at the top of the head (ushnisha).
Temple. DT-25. 3rd c. A. D.
IAR.

168

169. Скульптура. Фрагмент.
Глина на каркасе. Лепка, формовка штампом (завитки волос).
Раскраска (красный, голубой?)
30 × 28 × 26.
Голова Будды. На темени волосы собраны пучком — ушнишей.
Храм. ДТ-25. III в. н. э.
ИИ.

169. Sculpture. Fragment.
Clay on carcass. Modelling, stamping (curls).
Painting (red, light-blue?).
30 × 28 × 26.
Buddha's head. Hair is done in a bundle at the top of the head (ushnisha).
Temple. DT-25. 3rd c. A. D.
IAR.

169

170. Скульптура. Фрагмент.
Глина. Лепка, облицовка гипсом на тканевой прокладке, формовка штампом (детали венца). Раскраска (красный).
13 × 9,5 × 7.
Голова юноши (девата).
Храм. ДТ-25. III в. н. э.
ИИ.

170. Sculpture. Fragment.
Clay. Modelling, gypsum facing on fabric, stamping (parts of the crown). Painting (red).
13 × 9.5 × 7.
Head of a youth (devata).
Temple. DT-25. 3rd c. A. D.
IAR.

170

171. Скульптура. Фрагмент.
Глина. Лепка, облицовка гипсом на тканевой прокладке, формовка штампом (детали ювелирных
украшений, цветы). Окраска (розовый, красный).
32 × 20 × 18.
Фигура участника пранидхи — поклонения. В руках цветы — подношение Будде.
Храм. ДТ-25. III в. н. э.
ИИ.

171. Sculpture. Fragment.
Clay. Modelling, gypsum facing on fabric, stamping
(parts of adornments, flowers). Painting (pink, red).
32 × 20 × 18.
Figure of a participant in worship—pranidha. Flowers
in the hands—a tribute to Buddha.
Temple. DT-25. 3rd c. A. D.
IAR.

172. Скульптура.
Фрагмент.
Глина на каркасе. Лепка.
Раскраска (красный).
70 × 33 × 20.
Женская фигура с драпи-
ровкой на бедрах.
Храм. ДТ-25. III в. н. э.
ИИ.

172. Sculpture. Frag-
ment.
Clay on carcass. Modelling.
Painting (red).
70 × 33 × 20.
Female figure with drapery
on hips.
Temple. DT-25. 3rd c. A. D.
IAR.

172

173. Горельеф. Фрагмент.
Глина на каркасе. Лепка.
Гипсовая грунтовка, раскраска (розовый, красный, черный).
13 × 10 × 8,5.
Голова мужчины. Усы закручены в форме так называемого „лука амура".
Храм. ДТ-25. III в. н. э.
ИИ.

173. High relief. Fragment.
Clay on carcass. Modelling.
Gympsum priming, painting (pink, red, black).
13 × 10 × 8.5.
Male head. Moustache shaped like "Cupid's bow".
Temple. DT-25. 3rd c. A. D.
IAR.

173

174. Скульптура.
Фрагмент.
Глина на каркасе. Лепка, формовка штампом (завитки волос, детали ювелирных украшений, детали поясного набора). Гипсовая грунтовка, раскраска (красный, голубой, черный).
100 × 85 × 20—25.
Голова бодхисатвы. На лбу углубление – урна, служившая реликварием. В нее были положены косточки и золотая пуговица, после чего ее замазали гипсом.
Храм. ДТ-25. III в. н. э.
ИИ.

174. Sculpture. Fragment.
Clay on carcass. Modelling, stamping (curls, parts of adornments, parts of the girdle). Gypsum priming, painting (red, light-blue, black).
100 × 85 × 20—25.

174

Bodhisattva's head. A depression on the forehead— urn serving as a reliquary. Fruit stones and a gold button were placed into it and closed up with gypsum.
Temple. DT-25. 3rd c. A. D.
IAR.

175

175. Скульптура. Фрагмент.
Глина на каркасе. Лепка, Раскраска. Подновлена слоем гипса.
Лепка, формовка штампом (завитки волос, серьги, детали головного убора). Раскраска (красный).
43 × 32 × 30.
Голова бодхисатвы.
Храм. ДТ-25. III в. н. э.
ИИ.

175. Sculpture. Fragment.
Clay on carcass. Modelling. Painting. Renewed with a coat of gypsum.
Modelling, stamping (hair curls, ear-rings, parts of the headdress). Painting (red).
43 × 32 × 30.
Bodhisattva's head.
Temple. DT-25. 3rd c. A. D.
IAR.

176

176. Скульптура. Фрагмент.
Глина на каркасе. Лепка, Гипсовая грунтовка, раскраска. Подновлена слоем гипса, раскраска.
Формовка штампом (завитки волос, детали ювелирных украшений).
170 × 90 × 30.
Бодхисатва.
Храм. ДТ-25. III в. н. э.
ИИ.

176. Sculpture, Fragment.
Clay on carcass. Modelling. Gypsum primimg, painting. Renewed with a coat of gypsum, painted. Stamping (hair curls, parts of adornments).
170 × 90 × 30.
Bodhisattva.
Temple. DT-25. 3rd c. A. D.
IAR.

138

177. Скульптура. Фрагмент.

Глина на каркасе. Лепка, облицовка гипсом на тканевой прокладке, формовка штампом (завитки волос, детали венца). Раскраска (розовый).

21 × 20,5 × 21,5.

Голова девата. В ушах – круглые серьги. На голове – венок-диадема, украшенный цветами и звездами.

Храм. ДТ-1. I–II вв. н. э.

ИИ.

Лит.: Дальверзинтепе, 1978, с. 94, табл. II.

177. Sculpture. Fragment.

Clay on carcass. Modelling, gypsum facing on fabric, stamping (hair curls, parts of the crown). Painting (pink).

21 × 20.5 × 21.5.

Devata's head. Round earrings. Crown-diadem decorated with flowers and atrs.

Temple. DT-1. 1st–2nd cc. A. D.

IAR.

Lit.: Dalverzintepe, 1978, p. 94, table II.

177

178. Скульптура. Фрагмент

Глиняная основа. Облицовка гипсом на тканевой прокладке, лепка, формовка штампом (завитки волос). Раскраска (розовый).

17 × 16 × 12.

Голова девата. На темени волосы собраны „в хвост", перетянутый лентой (?).

Храм ДТ-1. I–II вв. н. э.

ИИ.

Лит.: Дальверзинтепе, 1978, с. 94, рис. 65, 1.

178

178. Sculpture. Fragment.
Clay foundation. Gypsum facing on fabric, modelling, stamping (hair curls). Painting (pink).
17 × 16 × 12.
Devata's head. Hair tied with ribbon (?) at the top.
Temple. DT-1. 1st–2nd cc. A. D.
IAR.
Lit.: Dalverzintepe, 1978, p. 94, Fig. 65, 1.

179

179. Скульптура. Фрагмент.
Глина. Лепка, облицовка гипсом на тканевой прокладке. Раскраска (черный, красный).
21,5 × 12 × 7,5.
Голова монаха. Коротко стриженные волосы — обязательная черта облика буддийского монаха. Уголки губ подправлены вдавлениями, создающими характерную „отрешенную" улыбку.
Храм. ДТ-1. I–II вв. н. э.
ИИ.
Лит.: Дальверзинтепе, 1978, с. 95, рис. 66, 4.

179. Sculpture. Fragment.
Clay. Modelling, gypsum facing on fabric. Painting (black, red).
21.5 × 12 × 7.5.
Monk's head. Close-cropped hair-characteristic of Buddhist moncs. Corners of the mouth pressed in, forming a characteristic "aloof" smile.
Temple. DT-1. 1st–2nd cc. A. D.
IAR.
Lit.: Dalverzintepe, 1978, p. 95, Fig. 66, 4.

180. Скульптура. Фрагмент.
Глина. Лепка, облицовка гипсом на тканевой прокладке, формовка штампом (детали головного убора). Раскраска (розовый, синий?).
49,5 × 19 × 18.
Голова „принца". Конический головной убор с „нашивным" бляшками.
Храм. ДТ-1, I–II вв. н. э.
ИИ.
Лит.: Дальверзинтепе, 1978, с. 94–95, рис. 150.

180

180. Sculpture. Fragment.
Clay, Modelling, gypsum facing on fabric. Stamping (parts of headdress). Painting (pink, dark-blue?).
49.5 × 19 × 18.
Prince's head. Conic headdress with "sewn-on" plates.
Temple. DT-1. 1st–2nd cc. A. D.
IAR.
Lit.: Dalverzintepe, 1978, pp. 94–95, Fig. 150.

181. Скульптура. Фрагмент.

Глина на каркасе. Лепка, облицовка гипсом на тканевой прокладке, формовка штампом (детали начельной повязки). Раскраска (черный, красный).

15 × 11,5 × 11.

Голова женщины. Конец длинной косы, закинутой на темя, придерживается начельной повязкой, украшенной бляшками. На щеки спускаются завитки волос — элемент женской прически, модной в Бактрии в кушанское время.

Храм. ДТ-1. I—II вв. н. э. ИИ.

Лит.: Дальверзинтепе, 1978, с. 95—96, рис. 66, 3.

181

181. Sculpture. Fragment.

Clay on carcass. Modelling, gypsum facing on fabric, stamping (parts of the headband). Painting (black, red).

15 × 11.5 × 11.

Female head. The end of a long plait, placed at the top of the head, is held by the headband decorated with plates. Hair curls on cheeks — an element of a hairdo considered stylish in Bactria during the Kushan period.

Temple. DT-1. 1st—2nd cc. A. D.

IAR.

Lit.: Dalverzintepe, 1978, pp. 95—96, Fig. 6, 3.

182. Скульптура. Фрагмент.

Глиняная основа на каркасе. Лепка, облицовка гипсом на тканевой прокладке. Раскраска (черный, красный).

73 × 22 × 10—16.

Статуя адоранта.

Храм. ДТ-1. I—II вв. н. э. ИИ.

Лит.: Дальверзинтепе, 1978, с. 94—95, рис. 66, 1, табл. 1.

182

182. Sculpture. Fragment.

Clay foundation on carcass. Modelling, gypsum facing on fabric. Painting (black, red).

73 × 22 × 10—16.

Statue of an adorant.

Temple. DT-1. 1st—2nd cc. A. D.

IAR.

Lit.: Dalverzintepe, 1978, pp. 94—95, Fig. 66, 1, table 1.

ХАЛЧАЯН

Городище с рассредоточенной планировкой на правом берегу Сурхандарьи в 10 км к северо-востоку от современного города Денау. Возникновение города относится к греко-бактрийскому времени. В III веке до н. э. возводится квадратная цитадель (240 × 240 м), окруженная крепостной стеной и рвом. В кушанское время (первые века н. э.) город растет, а стены цитадели неоднократно ремонтируются. Основная городская застройка Халчаяна этого времени сосредоточивается на протяжении почти километра вдоль канала, отводящего воду из Сурхандарьи. Из монументальных сооружений наиболее значителен дворец, ставший со временем храмом династийного культа. Он представляет собой обособленное здание 35 × 26 м, в планировке которого выделяются три группы помещений: центральная – парадная и по сторонам – помещения сокровищницы и арсенала. Парадная часть имеет поперечно-осевую планировку и состоит из шестиколонного айвана, зала с суфами и двухколонного помещения (тронный зал?, целла?). В перекрытии здания использовались черепица и антефиксы. Карниз фасада был украшен зубцами – мерлонами, выкрашенными, как и антефиксы, в красный цвет. В оформлении здания применялись настенная живопись и пристенные скульптурные фризы. Сюжетно-орнаментальная полихромная роспись халчаянского дворца делалась на глиняной или ганчевой штукатурке без предварительного эскиза. Халчаянские скульптурные фризы характеризуются сочетанием разных объемных решений – круглая скульптура, горельеф, барельеф, которые варьировались в зависимости от их расположения в интерьере. Время возведения дворца датируется I веком до н. э. – рубежом нашей эры (Г. А. Пугаченкова). Гибель дворца приходится на вторую половину – конец III века н. э., но городище обживается в раннее средневековье.

KHALCHAYAN

A settlement site with a scattered layout on the right bank of the Surkhandarya river in 10 km to the north-east of the present-day town of Denau. The settlement emerged in the Greco-Bactrian period. Its square citadel (240 × 240 m), surrounded with a fortress wall and a moat, was built in the 3rd century B. C. During the Kushan period (first centuries A. D.) the settlement was growing, and the citadel walls were repaired many times. At that time, most buildings in Khalchayan were concentrated along a one-kilometre section of the canal that brought water from the Surkhandarya. Of monumental buildings, the most prominent one was the palace, later transformed into a temple of a dynasty cult. It is a separately standing building of 35 × 26 metres, with three main groups of premises: the central group of cereminal rooms, and the treasury and the armory flanking it. The ceremonial group has a cross-axial layout and consists of a colonnaide with six columns, a hall with sufas (raised platforms) and a room with two columns, supposedly a throne-room or a cella. The building was roofed with tiles and antefixes. The cornice of the façade was decorated with merlons painted red, like the antefixes. The interior of the building was decorated with murals and friezes along the walls. Polychromatic topical and ornamental paintings in the Khalchayan palace were done on clay or stucco plaster without preliminary outlines. Sculptural friezes in Khalchayan were characterized by a combination of diverse volumetric solutions: round sculptures, high relief and bas-relief alternated, depending on their position in the interior. According to G. A. Pugachenkova, the palace was built in the 1st century B. C. or at the turn of the millennium. The palace was destroyed in the second half or the end of the 3rd century A. D., but the settlement site was partially habitable in the Early Middle Ages.

183. Медальон.
Глина, обжиг. Оттиск в матрице.
11 × 10.
Бородатый правитель в остроконечном головном уборе восседает на львином троне. Рядом стоит либо принц, либо вельможа в аналогичном головном уборе. Над левым плечом правителя парящая Ника с венком в руке. По-видимому, здесь представлена кушанская инвеститурная сцена.
I в. н. э.
ИИ.

183

183. Medallion.
Clay, kilning. Stamping.
11 × 10.
Bearded ruler in a peaked headdress sitting on a lion throne. A prince or a nobleman in a similar headdress standing next to him. Nike holding a wreath flying over the ruler's left shoulder. The medallion possibly shows an investiture scene of the Kushan period.
1st c. A. D.
IAR.

184. Скульптура. Фрагмент.
Глина. Лепка на каркасе. Окраска (красный, черный, белый).
27 × 18.
Голова воина в доспехах со стоячим воротником и в шлеме из трех скрепленных обручем пластин.
Дворец. I в. до н. э. – I в. н. э.
ИИ, П/5.
Лит.: Пугаченкова, 1966; Пугаченкова, 1971, с. 67.

184

184. Sculpture. Fragment.
Clay. Modelling on carcass. Painting (red, black, white).
27 × 18.
Warrior's head in armour with standing collar and helmet consisting of three plates fastened together by a hoop.
Temple. 1st c. B. C.–1st c. A. D.
IAR, P/5.
Lit.: Pugachenkova, 1966; Pugachenkova, 1971, p. 67.

185. Скульптура. Фрагмент.
Глина. Лепка на каркасе. Окраска (красный, черный, белый).
160 × 145.
Всадник, стреляющий из лука, обернувшись назад на полном скаку – прием, типичный для боевой тактики кочевников.
Дворец. I в. до н. э. – I в. н. э.
ИИ.
Лит.: Пугаченкова, 1971, с. 69.

185. Sculpture. Fragment.
Clay. Modelling on carcass. Painting (red, black, white).
160 × 145.
Horseman with a bow, turning back at full speed – a device typical of the fighting tactics of nomads.
Temple. 1st c. B. C.–1st c. A. D.
IAR.
Lit.: Pugachenkova, 1971, p. 69.

186. Скульптура. Фрагмент.
Глина. Лепка на каркасе. Раскраска (красный, черный, белый).
20 × 16.
Бородатый воин в шлеме из пластин, скрепленных обручем.
Дворец. I в. до н. э. – I в. н. э.
ИИ, П/6.
Лит.: Пугаченкова, 1966; Пугаченкова, 1971, с. 67.

186. Sculpture. Fragment.
Clay. Modelling on carcass. Painting (red, black, white).
20 × 16.
Bearded warrior in helmet made of plates fastened together with a hoop.
Temple. 1st c. B. C.–1st c. A. D.
IAR, P/6.
Lit.: Pugachenkova, 1966; Pugachenkova, 1971, p. 67.

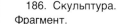

186

187. Скульптура. Фрагмент.
Глина. Лепка на каркасе. Раскраска (красный, черный, белый).
27 × 14.
Голова сатира. Звериные уши, прямые пряди волос, щеки обрамлены густыми бакенбардами.
Дворец. I в. до н. э. – I в. н. э.
ИИ, П/8.
Лит.: Пугаченкова, 1966; Пугаченкова, 1971, с. 84.

187. Sculpture. Fragment.
Clay, Modelling on carcass. Painting (red, black, white).
27 × 14.
Satyr's head. Animal ears, straight hair, whiskers on cheeks.
Temple. 1st c. B. C.–1st c. A. D.
IAR, P/8.
Lit.: Pugachenkova, 1966; Pugachenkova, 1971, p. 84.

188. Скульптура. Фрагмент.
Глина. Лепка. Раскраска.
26 × 30.
Голова статуи. Сходство с портретами царей на парфянских монетах позволяет определить изображение как парфянского правителя.
Рубеж н. э.
ГМИ, Хн-28.

188. Sculpture. Fragment.
Clay. Modelling. Painting.
26 × 30.
Statue's head. Similarity with portraits of kings on Parthian coins identifies the image as a Parthian ruler.
Turn of the millennium.
SMI, Hn-28.

188

189. Скульптура. Фрагмент.
Глина. Лепка. Раскраска.
24 × 15 × 9.
Голова Геракла.
Рубеж н. э.
ГМИ, Хн-37.

189. Sculpture. Fragment.
Clay. Modelling. Painting.
24 × 15 × 9.
Hercules' head.
Turn of the millennium.
SMI, Hn-37.

189

190. Скульптура. Фрагмент.
Глина. Лепка. Раскраска.
25 × 10 × 4,5.
Голова статуи.
Рубеж н. э.
ГМИ, Хн-32.

190. Sculpture. Fragment
Clay. Modelling. Painting.
25 × 10 × 4.5.
Statue's head.
Turn of the millennium.
SMI, Hn-32.

190

АЙРТАМ

Городище, состоящее из ряда отдельных памятников, расположенных вдоль правого берега Амударьи в 18 км к востоку от Термеза, общей площадью около 90 га.

В греко-бактрийское время (во II веке до н. э.) на территории Айртама возводится монументальное здание – форт. По мнению исследователей, к моменту сакского нашествия оно не было достроено.

С рубежа нашей эры в связи с проникновением в Северную Бактрию буддизма в Айртаме начинается широкое строительство буддийских культовых памятников. Развалины греко-бактрийского здания используются как платформа для буддийского комплекса. В кушанское время в Айртаме складывается крупный буддийский храмово-монастырский центр, протянувшийся почти на 3 км вдоль берега Амударьи. Здания комплекса были богато украшены скульптурой и архитектурным декором, выполненным из мраморовидного известняка. В строительстве применялся жженый кирпич. Вокруг комплекса существовали хозяйственно-производственные службы, среди которых выявлены кирпичеобжигательные и гончарные печи. Во второй половине III века Айртам приходит в упадок и больше не восстанавливается.

AIRTAM

Settlement site consisting of a number of separately standing monuments situated along the right bank of the Amudarya river in 18 km to the east of Termez, with a total area of about 90 hectares.

A monumental building – a fort – was erected on the territory of Airtam in the Greco-Bactrian period (2nd c. B. C.). In the opinion of researchers, it was not completed by the time of the Saka invasion.

With the penetration of Buddhism into North Bactria at the turn of the millennium, a mass construction of Buddhist shrines began in Airtam. The ruins of a Greco-Bactrian structures were used as a platform for a Buddhist complex. During the Kushan period, a large Buddhist centre consisting of a temple and a monastery and stretching for almost 3 km along the Amudarya river, was formed in Airtam. Its buildings were richly decorated with sculpture and architectural decor made of marble-like limestone. Baked brick was used in construction. Around the complex there were auxiliary buildings, including furnaces for baking brick and killing pottery. In the second half of the 3rd century Airtam decayed and was never restored.

191. Скульптура.
Фрагмент.
Глина, обжиг. Лепка на каркасе. Коричневый ангоб.
9,5 × 6.
Голова барана. Ноздри переданы сквозными отверстиями.
II–III вв. н. э.
СОКМ, 927.

191. Sculpture. Fragment.
Clay, kilning. Modelling on carcass. Brown engobe
9.5 × 6.
Ram's head. Nostrils shown by through apertures.
2nd–3rd cc. A. D.
SRMLL, 927.

191

192. Зонтики.
Гипс. Отливка в форме.
Д. большого 23. Д. малого 15,5.
III в. н. э.
СОКМ, 19/7.

192. Umbrellas.
Gypsum. Cast in a mould.
D. of the large umbrella 23.
D. of the small umbrella 15.5.
3rd c. A. D.
SRMLL, 19/7.

192

193. Горельеф. Фрагмент.
Мраморовидный известняк. Резьба.
75 × 61 × 33.
Нижняя часть скульптурного изображения мужчины и женщины. Женщина в длинном одеянии.
На ногах – двойные браслеты, украшенные вось-
милепестковыми розетками. Возможно, Шива и
Парвати. Внизу на основании шестистрочная надпись бактрийским письмом: „Царя Хувишки (был)
год правления 4-й (или: „40-й"), когда [царь?] город [...] [Царь] (?) пожаловал сангхе (?)...
Это основал Шудийа, происходивший из (?), который храм привел в порядок (или „укра-
сил")...И...нарек именем...И, кроме того, (Шудийа) в акрополе соорудил [для] богов большие
ворота (?)...и выкопал в текущей воде (или
„реке") запруды – так, как это нужно было для
почитания [богов]. И оба божества сюда [доста-
вил?], и были они... И это написал Мирзад по при-
казу Шудийа" (чтение В. А. Лившица, Э. В. Ртвеладзе).
II в. н. э.
ИИ.

193. High relief. Fragment.
Marble-like limestone. Carving.
75 × 61 × 33.
The lower part of a sculpture of a man and a woman.
The woman in a long dress. Double bracelets on the
ankles decorated with eight-petal rosettes. Possibly,
Shiva and Parvati. Six lines in the Bactrian script at the
bottom of the base read this:
"King Khuvishka's (was) the 4th (or "40th") year of
rule, when [the king?] the city [...] [King (?) granted to
sangha (?)... Founded by Shudiya, descending from
(?) who put the temple in order(or "decorated")... And
gave the name of ... And, besides, Shudiya in
acropolis built [for] the gods large gates (?)... and built
dams in the flowing water (or "river") the way it was
needed for worshipping [gods]. And [brought] both
deities here, and they were... This was inscribed by
Mirzad on the order of Shudiya". (Version of V. A. Liv-
shiz, E. V. Rtveladze).
2nd c. A. D.
IAR

193

194. Зеркало.
Бронза. Литье.
Д. 8,5.
Изображение двух плывущих по кругу рыб.
I–II вв. н. э.
ИИ.

194. Mirror.
Bronze. Casting.
D. 8.5.
Representation of two fish floating in a circle.
1st–2nd cc. A. D.
IAR

ЗАРТЕПА

Городище в 14 км к северо-западу от Старого Термеза (Тармита). Среди древних городов, интенсивно обживавшихся в кушанское время в долине реки Сурхандарьи, Зартепа, площадь которого 16,9 га, занимает после Тармиты и Дальверзинтепа третье место. Квадратный в плане город ориентирован по странам света с отклонением к западу на 26° и защищен оборонительной стеной, фланкированной полукруглыми башнями через каждые 35 м. С трех сторон город окружен рвом и валом. В северо-восточном углу городища располагается цитадель (120 × 120 м). В юго-восточном углу городища находится еще одно квадратное (60 × 60 м) оборонительное сооружение, вероятно, угловой форт. Близ обоих сооружений фиксируется по двое ворот, позволявших проникнуть внутрь города. Еще одни ворота наблюдаются в рельефе юго-западной оборонительной стены городища.

Основание города связывается с началом так называемого юечжийского периода (I век до н. э. – I век н. э.), а его расцвет приходится на период правления династии Великих Кушан (II – середина III века н. э. ?), в дальнейшем город оккупируется Сасанидами.

ZARTEPA

Settlement site in 14 km to the north-west of Old Termez (Tarmita). Among the ancient cities made habitable in the Surkhandarya river valley during the Kushan period, Zartepa, with its area of 16.9 hectares, ranked the third after Tarmita and Dalverzintepa. The city, with its square layout, was oriented to the four parts of the world with a deviation of 26° to the west, and was protected by a defence wall flanked with semi-circular towers projecting at 35 m from one another. On three sides, the city was surrounded with a moat and a rampart. In the north-eastern part of the city stood the citadel (120 × 120 m). In the south-eastern part of the city, there was another square defensive structure (60 × 60 m), possibly, a corner fort. Near each building, there are traces of two gates, providing access to the city. Another gate can be observed in the relief of the south-western defence wall.

The foundation of the city dates back to the beginning of the Yueh-Chi period (1st c. B. C. – 1st c. A. D.), and its flourishing falls on the rule of the Great Kushan dynasty (2nd – middle of the 3rd cc. A. D.?). Later the city was occupied by the Sasanids.

149

195. Налеп на стенке сосуда.
Глина, обжиг. Оттиск штампа. Красный ангоб.
6,5 × 4.
Голова бородатого мужчины, выполненная в эллинистических традициях. Напоминает голову кулачного бойца работы Лисистрата, из Олимпии (IV в. до н. э.). Возможно, Геракл в образе кулачного бойца.
Зартепа. Первые века н. э.
МИНУ, 215/195.
Лит.: Альбаум, 1960, с. 21.

195. Detail stuck on a vessel.
Clay, kilning. Stamping. Red engobe.
6.5 × 4.
Head of a bearded man, executed in Hellenistic traditions. Resembles the head of a fist fighter by Lycistratus, found in Olympia (4th c. B. C.). Possibly, Hercules in the guise of a fist fighter.
Zartepa. First centuries A. D.
MHPU, 215/195.
Lit.: Albaum, 1960, p. 21.

195

196. Налеп на стенке сосуда.
Глина, обжиг. Оттиск штампа. Красный ангоб.
6 × 5.
Голова Геракла.
Первые века н. э.
ЛОИА.

196. Detail stuck on a vessel.
Clay, kilning. Stamping. Red engobe.
6 × 5.
Hercules' head.
First centuries A. D.
LBIA.

196

197. Статуэтка бодхи-
сатвы.
Глина, обжиг. Оттиск
в матрице. Красный ан-
гоб.
6,5 × 4,5.
Случайная находка. II–IV
вв. н. э.
ЛОИА.

197. Statuette of the
bodhisattva.
Clay, kilning. Stamping.
Red engobe.
6.5 × 4.5.
Found by accident. 2nd–
4th cc. A. D.
LBIA.

197

198. Статуэтка. Фраг-
ментирована.
Глина, обжиг. Оттиск
в матрице, обрезка по
краю.
9,8 × 6,7.
Тройное божество (Ар-
дохшо?). На шее – грив-
на. Из-под длинной на-
кидки видны кисти рук.
II–III вв. н. э.
СОКМ, 857.
Лит.: Альбаум, 1960,
с. 27.

198. Statuette. Frag-
ments.
Clay, kilning. Stamping, cut
along rims.
9.8 × 6.7.
Triple deity (Ardohsho?).
Pendant on the neck.
Hands showing from be-
neath a long cloak.
2nd–3rd cc. A. D.
SRMLL, 857.
Lit.: Albaum, 1960, p. 27.

198

199. Статуэтка
женщины (донатрисы?).
Глина, обжиг. Оттиск
в матрице. Раскраска.
В. 12.
III–IV вв. н. э.
ЛОИА.

199. Statuette of a
woman (donatrice?).
Clay, kilning. Stamping.
Painting.
H. 12.
3rd–4th cc. A. D.
LBIA.

199

200. Статуэтка змее-
борца. Фрагмент.
Глина, обжиг. Оттиск
в матрице, обрезка по
краю. Красный ангоб.
14,2 × 7.
III–IV вв. н. э.
СОКМ, 852.
Лит.: Альбаум, 1960,
с. 23–24, рис. 11.

200. Statuette of a
snake fighter. Fragment.
Clay, kilning. Stamping in a
die , cut along rims. Red engobe.
14.2 × 7.
3rd–4th cc. A. D.
SRMLL, 852.
Lit.: Albaum, 1960, pp. 23–
24, Fig. 11.

200

201. Статуэтка.
Глина, обжиг. Оттиск
в матрице.
9,5 × 3,3.
Богиня с инвеститурным
кольцом в опущенной ле-
вой руке. В правой руке у
груди держит плод (?).
III–IV вв. н. э.
СОКМ, 849.
Лит.: Альбаум, 1960,
с. 28, рис. 14.

201. Statuette.
Clay, kilning. Stamping in a
die.
9.5 × 3.3.
Goddess with the investi-
ture ring in the left hand. Her
right hand at the breast,
holding fruit (?).
3rd–4th cc. A. D.
SRMLL, 849.
Lit.: Albaum, 1960, p. 28,
Fig. 14.

201

202. Статуэтка. Фраг-
ментирована.
Глина, обжиг. Оттиск
в матрице.
Музыкант с флейтой
Пана.
В. 14.
III–V вв. н. э.
ЛОИА.

202. Statuette.   Frag-
ments.
Clay, kilning. Stamping in a
die.
Musician with a Pan's flute.
H. 14.
3rd–5th cc. A. D.
LBIA.

202

203

203. Перстень.
Бронза. Литье.
На щитке изображение
животных и птицы.
III–IV вв. н. э.
ИА.

203. Signet-ring.
Bronze. Casting.
Representations of animals
and birds.
3rd–4th cc. A. D.
AI.

204. Гемма инталия.
Сердолик. Резьба.
Д. 1,65.
Изображение Афины.
III–IV вв. н. э.
ИА.

204. Gemma intaglio.
Cornelian. Carving.
D. 1.65.
Representation of Athen.
3rd–4th cc. A. D.
AI.

СОГД

„Второй из лучших местностей и стран сотворил я, Ахурамазда, Гаву, обитель согдийцев…“ – эта фраза Авесты – священной книги зороастризма отражает географические представления восточных иранцев первой половины первого тысячелетия до н. э. Разумеется, в этих религиозных текстах нет описания границ и можно лишь предполагать, что Согдийская Гава примерно соответствовала позднейшим согдийским территориям в долине Зеравшана и Кашкадарьи. Археологических памятников времени создания Авес-

ты на этих территориях мы пока почти не знаем. О высоком уровне культуры можно судить по ирригационным сооружениям, часть из которых продолжала действовать и в последующее время. Самое грандиозное из них – система канала Даргом протяженностью около 100 км служит и до сих пор. Создание ее должно было потребовать серьезной организации работ, возможной только в рамках какой-то государственности.

В третьей четверти VI века до н. э. Согд, наряду

с другими среднеазиатскими регионами, вошел в Персидскую империю Ахеменидов. К этому времени относятся слои древнейшего Самарканда – городища Афрасиаб. Возникновение столь крупного города в течение исторически короткого срока наводит на мысль о своеобразном синойкизме – объединении нескольких селений. Возможно, что Самарканд был основан как центр Ахеменидской сатрапии. Включение Согда в мировую империю не могло не сказаться на культурной жизни его общества. О степени этого влияния можно судить уже по тому факту, что согдийское письмо развилось на основе арамейского, применявшегося в канцеляриях персидских царей.

События последней трети IV века до н. э. изменили жизнь всего Ближнего Востока. Стремительный марш войск Александра Македонского через всю Западную Азию привел их к крайним северо-восточным пределам бывшей Иранской державы Ахеменидов – в Бактрию и Согд. И в этих, относительно небольших областях новый хозяин мира был остановлен почти на три года. Немалую роль в том сыграли природные условия Согда. Участники похода Александра называли Согдианой все междуречье Амударьи и Сырдарьи в их среднем течении. Их сведения не совсем соответствуют более позднему представлению о Согде как о долинах Зеравшана и Кашкадарьи. Возможно, что греки описывали административные границы бывшей Ахеменидской сатрапии, которая охватывала и небольшие самостоятельные в этническом отношении территории в правобережье Амударьи. В любом случае, коренные земли Согда, расположенные между горами и пустынями, по своим географическим особенностям способствовали успешному ведению партизанской войны, не замедлившей разразиться с приходом греков. Александр, ожесточенный сопротивлением, приказывал „жечь села и убивать всех взрослых". По свидетельству Диодора, в долине Зеравшана было уничтожено 120 тысяч человек. Но и после этого сопротивление не прекратилось. Клит, один из соратников Александра, получивший в управление эти земли, летом 328 г. до н. э., говорил: „Ты назначаешь мне Согдиану, которая столько раз восставала и не только еще не покорена, но покорена быть не может". Видя безуспешность жестких мер, Александр изменил тактику и стал привлекать на свою сторону предводителей восставших. К числу таких шагов относится и его женитьба на попавшей в плен Роксане, дочери Оксиарта, одного из согдийских вождей. Новая политика дала положительные результаты и позволила грекам двинуться дальше – в Индию.

После смерти Александра его империя распалась. В результате войн диадохов Восток достался Селевку. Вероятно, греки удерживались в Согдиане и в правление его сына Антиоха I (280–261 гг. до н. э.). При его преемнике от Селевкидской монархии отделились Бактрия и Парфия. Есть все основания полагать, что с этого момента и Согд обретает самостоятельность.

Еще во время похода Александр поручил одному из своих военачальников „основать города в Согдиане". Эти катойкии – поселения военных колонистов послужили основой для нового поколения согдийских городов. Во всяком случае, целый ряд археологически известных городищ возникает в III веке до н. э. Многие из них были достаточно крупными.

В кратковременный период эллинского владычества согдийцы познакомились с монетой греческого образца. После того как Селевкиды потеряли контроль над этими районами, массовый поток ее прекратился и местные правители организовали свою чеканку. Однако уровень развития согдийского общества был еще таков, что ни реальное „экономическое" содержание, ни заложенные в монете прокламативные возможности не были по-настоящему осознаны. В результате местные эмиссии приобрели подражательный характер: были скопированы типы наиболее популярных на рынке греческих монет. В дальнейшем каждое следующее поколение подражаний, как правило, на более низком художественном уровне копировало тип предыдущего. Со временем накапливались ошибки и отклонения от первоначального прототипа, изображения огрублялись и теряли смысл, а надписи становились нечитаемыми, орнаментализовались или вообще исчезали. Воспроизведение одного образца длилось столетиями. Судя по топографии монетных находок в Согде, в последние века до нашей эры было не менее трех самостоятельных владений: самаркандские правители выпускали подражания монетам Антиоха I; бухарские – взяли за основу тетрадрахмы греко-бактрийского царя Евтидема, а в долине Кашкадарьи копировали драхмы Селевкидов с портретами Александра Великого.

Эллинистическое влияние сказалось не только в монетном деле. Во многих формах согдийской керамики без труда узнаются греческие прототипы. На первых порах то же происходило и в мелкой пластике. Греческое влияние ощутимо и в архитектуре. В то же время, многие элементы культуры сохраняют древневосточные черты.

Никаких подробностей политической истории Согда этого времени до нас не дошло. Только около рубежа н. э., когда появляются первые собственно согдийские монетные типы, мы узнаем имена нескольких правителей. Мы ничего не знаем об этих царях, но высокий художественный и технический уровень, на котором выполнены их монеты, свидетельствует о дальнейшем экономическом и культурном развитии Согда.

На изученных к настоящему моменту городских памятниках долины Зеравшана в I веке н. э. прослеживается резкое сокращение обжитых территорий. Наблюдается и ухудшение качества керамики, продолжающееся до III века н. э. Наметившийся скачок в монетном деле сводится на нет: от высокохудожественных выпусков предшествующего периода тянутся новые линии подражаний. Возможно, что около рубежа н. э. согдийское общество пережило какую-то катастрофу. Во всяком случае в первые века н. э. Согд в культурном развитии отстает от своих южных соседей.

Только к концу III–IV веков здесь намечается сдвиг в лучшую сторону. Причину следует искать в изменении трассы „Шелкового пути“ – основной торговой артерии Евразии. Согдийцы и раньше ездили в Китай, однако основные караванные пути шли южнее: из Восточного Туркестана через Бактрию – Тохаристан, к портам Западной Индии, откуда товары отправлялись морем в Александрию Египетскую. В III–IV веках в распределение доходов от мировой торговли вмешивается новая сила – Сасанидский Иран. В результате, предпочтительным становится другой вариант дороги: через Согд на Мерв и далее через Иран. К началу IV века относятся первые документальные свидетельства о согдийцах в Китае – Согдийские Старые Письма. Эта корреспонденция, отправленная на родину жителями колоний и не дошедшая до места, была найдена в начале нашего столетия в одной из башен Великой Китайской стены. Из писем мы узнаем, например, что в Дуньхуане в тот момент жило 100 свободных самаркандцев. Участие в торговле на „Шелковом пути“ в качестве основных контрагентов стало основой того стремительного культурного и экономического подъема, который пережил Согд в последующие столетия.

SOGHDIANA

"The second among the best localities and countries I, Ahura Mazda, has created Gava, the abode of Soghdians…" – this phrase from the Avesta, the sacred writings of Zoroastrianism, reflects geographical notions of East Iranians in the first half of the 1st millennium B. C. Naturally, religious writings contain no description of its frontiers, and it can be only presumed that the Soghdian city of Gava lay on the territory approximately corresponding to subsequent Soghdian territories in the valley of the Zerafshan and the Kashkadarya rivers. We know very little about archeological monuments of the Avestan time on that territory. A high cultural level was manifested in irrigation facilities, part of which continued to function in later periods. The largest of them, the Dargom canal about 100 km long, functions to this day. Its construction must have required a well-arranged labour organization system, possible only within the framework of a statehood.

In the third quarter of the 6th century B. C. Soghdiana, along with other Central Asian regions, became part of the Persian Empire of the Akhemenids. The most ancient layers of the Afrasiab settlement in Samarkand date back precisely to that period. The emergence of such a large city within a historically short period of time prompts the idea that it was a kind of a synoecism, an amalgamation of several settlements. Possibly, Samarkand was founded as the centre of an Akhemenid satrapy. The inclusion of Soghdiana into the world empire could not but have an impact on the cultural life of its society. The degree of that influence is manifested in the fact that the Soghdian script was developing on the basis of the Aramaic script used in offices of Persian kings.

The events of the last quarter of the 4th century B. C. changed life in the Middle East dramatically. The swift march of troops of Alexander the Great across Western Asia brought them to the extreme northeastern boundaries of the former Iranian state of Akhemenids – to Bactria and Soghdiana. In these relatively small regions the "ruler of the world" was detained for almost three years, largely due to the local natural conditions. The participants in Alexander's campaign applied the name of Soghdiana to the entire territory between the present-day Amudarya and the Syrdarya rivers, in their middle flow. Their information does not quite correspond to the later notion of Soghdiana as the territory in the valley of the Zarafshan and the Kashkadarya rivers. Possibly, the Greeks had in mind the administrative boundaries of the former Akhemenid satrapy which included small ethnically independent territories on the right bank of the Amudarya. Anyway, due to their geographic peculiarities, Soghdian lands, situated between the mountains and the deserts, assisted a successful guerilla warfare, which broke out immediately on the arrival of the Greeks. Embittered by this resistance, Alexander gave orders to "burn down villages and kill all adults". According to the written evidence of Diodorus, 120 thousand people were killed in the Zerafshan valley. But that did not halt the resistance. Clytus, Alexander's companion-in-arms, appointed to govern that territory in the summer of 328 B. C., said this:" You have appointed me to Soghdiana, which rose up so many times, yet was never subjugated, nor will it ever be". Seeing the failure of his tough measures, Alexander changed his tactics and started to win over the rebels' leaders to his side. One of such steps was his marriage to captive Roxana, the daughter of Oxyart, a Soghdian leader. The new policy yielded good results and made it possible for the Greeks to move further toward India.

After the death of Alexander the Great his empire collapsed. As a result of wars between the dyadochs the East went to Seleucus. Possibly, the Greeks remained in Soghdiana also during the rule of his son Antiochus I (280−261 B. C.). Under his successor Bactria and Parthia broke away from the Seleucid monarchy. There are all grounds to suppose that Soghdiana became independent at that time too.

During his campaign, Alexander the Great entrusted one of his military leaders with the mission of "founding cities in Soghdiana". Such "catoecia", settlements of military colonists, paved the way to another generation of Soghdian cities. Anyway, a great many archeologically known settlements appeared in the 3rd century B. C. Many of them were rather large.

During the short period of Hellenic rule, Soghdians familiarized themselves with Greek coins. After the Seleucids had lost control of this region, the mass inflow of Greek coins stopped, and local rulers began to mint their own. However, the level of development in Soghdian society was not high enough to realize to the end either the true "economic" value, or the proclamatory potentialities of coins. As a result, local coinage took on the nature of debasement. Local coins were mere imitations of the most widespread Greek coin types. Each subsequent issue was an imitation of the previous one, but as a rule, with much lower artistic standards. Errors and deviations from the initial prototype accumulated with time, images became degraded and lost their meaning, and legends became indiscernable or ornamentalized, or disappeared altogether. Judging from the topography of coin finds in Soghdiana, there were at least three independent principalities in the last centuries B. C.: Samarkand rulers struck imitations of coins of Antiochus I, Bucha-

rian rulers based their mintage on tetradrachmas of the Greco-Bactrian king Eutidemus, and in the Kashkadarya valley they imitated drachmas of the Seleucids portraying Alexander the Great.

Hellenistic influence manifested itself not only in coin mintage. Greek prototypes are easily recognized in many forms of Soghdian ceramics. Shortly after the Greek domination the same occurred in small plastics. Greek influence is felt in architecture as well. At the same time, many cultural elements retained ancient Oriental features.

We know no details about Soghdian political history of that time. We only know the names of some rulers who lived at the turn of the millennium, when the first Soghdian coin types appeared. We know nothing about the kings, but the high artistic and technical standards of the coins bear evidence of the further economic and cultural development of Soghdiana.

Urban monuments of the Zerafshan River valley dating back to the 1st century A. D., studied to-date, betray a sharp reduction of habitable territories. Ceramics became poorer in quality, and this continued till the 3rd century A. D. The emergent improvement in mintage was reduced to nil: the highly artistic earlier issues produced only new lines of debasement. Possibly, at the turn of the millennium Soghdian society lived through some kind of a catastrophe. Anyway, in the first centuries A. D. Soghdiana was behind its southern neighbours in its development.

It was only by the end of the 3rd−4th centuries that there began a change for the better. The reason should be sought in changes of the itinerary of the Great Silk Road, the main trade artery in Eurasia. Soghdians had travelled to China earlier, but the main caravan routes lay farther to the south: from Eastern Turkestan through Bactria−Tokharistan to the ports of Western India, from where goods were shipped to Alexandria in Egypt. In the 3rd−4th centuries another power, the Sassanid Iran, claimed its share in the distribution of profits from the world trade. As a result, preference was given to a different itinerary: through Soghdiana to Merv and further on to Iran. The first written evidence about Soghdiana, the so-called Old Soghdian Letters, date back to the early 4th century. These letters, sent by colonists to their home country and lost on their way, were found in the Great Chinese Wall early in this century. Among other things, we have learnt from the letters, that 100 free Samarkanders lived in Dunhuan at that time. Participation in trade on the Great Silk Road in the capacity of the main contractor provided the foundation for the rapid cultural and economic upsurge which Soghdiana experienced in the subsequent centuries.

МОНЕТЫ СОГДА	SOGHDIAN COINS

САМАРКАНДСКИЙ СОГД

SAMARKAND SOGHDIANA

Подражания монетам Антиоха I. III–I вв. до н. э.

Antiochus I imitations. 3rd–1st cc. B. C.

205. Голова царя вправо/голова рогатого коня вправо и сокращенная греческая надпись.
Серебро, „драхма" (?). 2,92
Городище Дурмен, раскоп 5.
ГМИНВ, б/н.

205. King's head right/head of a horned horse right and an abbreviated Greek legend.
Silver, "Drachma" (?) 2.92
Durmen settlement site, excavation 5.
SMAEP, w/n.

205

206. То же.
Серебро, „драхма". 2,50
МИКИНУ, Н-10006.
Лит.: Зеймаль, 1983 а, с. 76, № 3.

206. The same.
Silver, "Drachma". 2.50
MHCAPU, H-10006.
Lit.: Zeimal, 1983 a, p. 76, No. 3.

206

207. То же.
Серебро, „гемидрахма".
МИКИНУ, Н-20. 1,25
Лит.: Зеймаль, 1983 а, с. 77, № 17.

207. The same.
Silver, "hemidrachma". 1.25
MHCAPU, H-20.
Lit.: Zeimal, 1983 a, p. 77, No. 17.

207

208. То же.
Серебро, „обол". 0,25
МИКИНУ, Н-10009.
Лит.: Зеймаль, 1983 а, с. 77, № 29.

208

208. The same.
Silver, "obol". 0.25
MHCAPU, H-10009.
Lit.: Zeimal, 1983 a, p. 77, No. 29.

209. То же.
Серебро, „драхма".   1,91
МИКИНУ, Н-10063.
Лит.: Зеймаль, 1983 а, с. 77, № 33.

209. The same.
Silver, "drachma".   1.91
MHCAPU, H-10063.
Lit.: Zeimal, 1983 a, p. 77, No. 33.

209

210. То же.
Серебро, „гемидрахма".   1,42
Городище Кумсофтан, Бухарская обл., случайная
находка.
ГМИНВ, б/н.
Лит.: Наймарк, 1987, с. 51.

210. The same.
Silver, "hemidrachma".   1.42
Kumsoftan settlement site, Bukhara region, found by
accident.
SMAEP, w/n.
Lit.: Naimark, 1987, p. 51.

210

211. То же.
Серебро, „драхма".   2,29
МИКИНУ, Н-13.
Лит.: Зеймаль, 1983 а, с. 78, № 74.

211. The same.
Silver, "drachma".   2.29
MHCAPU, H-13.
Lit.: Zeimal, 1983 a, p. 78, No. 74.

211

212. То же.
Серебро, „драхма".   1,35
Городище Кумсофтан, Бухарская обл., случайная
находка.
ГМИНВ, б/н.

212. The same.
Silver, "drachma".   1.35
Kumsoftan settlement site, Bukhara region, found by
accident.
SMAEP, w/n.

212

213. То же.
Серебро, „драхма".   2,10

213. The same.
Silver, "drachma".   2.10

МИКИНУ, H-12.
Лит.: Зеймаль, 1983 а, с. 88, № 81.

МНСАРU, H-12.
Lit.: Zeimal, 1983 a, p. 88, No. 81.

213

Монеты с головой коня на оборотной стороне. I–II вв. н. э.

214. Голова правителя влево/голова лошади вправо.
Серебро. 1,81
МИКИНУ, H-179.
Лит.: Зеймаль, 1983 а, с. 91, № 102.

215. То же.
Серебро. 1,80
Кошрабат, Самаркандская обл., курган 1.
ИА.
Лит.: Иневаткина, Иваницкий, 1987, с. 48–49.

Coins with horse's head on the reverse. 1st–2nd cc. A. D.

214. Ruler's head left/ horse's head right.
Silver. 1.81
МНСАРU, H-179.
Lit.: Zeimal, 1983 a, p. 91, No. 102.

215. The same.
Silver. 1.80
Koshrabat, Samarkand region, burial mound 1.
Al.
Lit.: Inevatkina, Ivanitsky, 1987, pp. 48–49.

215

216. То же.
Серебро. 1,80
Кошрабат, Самаркандская обл., курган 1.
ИА.

216. The same.
Silver. 1.80
Koshrabat, Samarkand region, burial mound 1.
Al.

Эмиссия Аштама с головой коня на оборотной стороне. I–II вв. н. э.

217. Голова правителя влево/голова коня вправо.
Серебро. 1,2
МИКИНУ, H-10014.
Лит.: Зеймаль, 1978, с. 199, № 13, с. 203, № 1, с. 208.

Ashtam emission with horse's head on the reverse. 1st–2nd cc. A. D.

217. Ruler's head right/horse's head right.
Silver. 1.2
МНСАРU, H-10014.
Lit.: Zeimal, 1978, p. 199, No. 13, p. 203, No. 1, p. 208.

Монеты с изображением лучника на оборотной стороне. I–IV вв. н. э.

218. Голова правителя влево, за ней – согдийская легенда/стоящий лучник и греческая легенда в две параллельные строки.
Серебро. 1,50
МИКИНУ, H-177.
Лит.: Зеймаль, 1983, с. 269–273.

219. То же, но без надписей.
Медь. 1,83
МИНУ, 153/339.
Лит.: Зеймаль, 1983, табл. 31, № 05.

Coins showing archer on the reverse. 1st–4th cc. A. D.

218. Ruler's head left, with Soghdian legend behind/archer standing and Greek legend in two parallel lines.
Silver. 1.50
МНСАРU, H-177.
Lit.: Zeimal, 1983, pp. 269–273.

219. The same, without legends.
Copper. 1.83
МНРU, 153/339.
Lit.: Zeimal, 1983, table 31, No. 05.

220. Голова правителя влево и согдийская ле-
генда/стоящий лучник в точечном круге.
Серебро.   1,45
МИКИНУ, Н-10021.
Лит.: Зеймаль, 1983, табл. 31, № 07.

220. Ruler's head left and Soghdian legend/archer
standing in dotted circle.
Silver.   1.45
MHCAPU, H-10021.
Lit.: Zeimal, 1983, table 31, No. 07.

220

221. То же, но без легенды.
Серебро.   1,40
МИНУ, 136-5.

221. The same, without legend.
Silver.   1.40
MHPU, 136-5.

222. То же.
Серебро.   1,2
МИКИНУ, Н-10020.

222. The same.
Silver.   1.2
MHCAPU, H-10020.

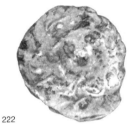

222

223. То же.
Серебро.   1,00
МИКИНУ, Н-10023.

223. The same.
Silver   1.00
MHCAPU, H-10023.

223

224. То же.
Серебро.   0,30
МИКИНУ, Н-115.

224. The same.
Silver.   0.30
MHCAPU, H-115.

224

225. То же.
Серебро.   1,00
МИКИНУ, Н-10028.

225. The same.
Silver.   1.00
MHCAPU, H-10028.

225

226. То же.
Серебро.   0,52
МИКИНУ, Н-119.

226. The same.
Silver.   0.52
MHCAPU, H-119.

226

НЕИЗВЕСТНЫЙ ЦЕНТР В ДОЛИНЕ ЗЕРАВШАНА

Монеты серии Гиркода с изображением стоящего божества на оборотной стороне. I–IV вв. н. э. (?)

227. Голова правителя вправо/стоящее божество, искаженная греческая надпись в две строки.
Серебро.   1,71
ГМИИ, $\dfrac{1319}{319}$.

Лит.: Зеймаль, 1978, с. 209.

228. То же.
Серебро.   2,07
ГМИИ, $\dfrac{1317}{317}$.

229. То же, но за головой правителя согдийская легенда.
Серебро.   0,82
ГМИИ, $\dfrac{16312}{3854}$.

230. То же, но без легенды.
Серебро.   0,60
Городище Кумсофтан, Бухарская обл., случайная находка.
ГМИНВ, б/н.

UNIDENTIFIED CENTRE IN THE ZERAFSHAN VALLEY

Coins of the Hyrcodus' series showing a standing deity on the reverse. 1st–4th cc. A. D. (?)

227. Ruler's head right/standing deity, degraded Greek legend in two lines.
Silver.   1.71
PSMFA, $\dfrac{1319}{319}$.

Lit.: Zeimal, 1978, p. 209.

228. The same.
Silver.   2.07
PSMFA, $\dfrac{1317}{317}$.

229. The same, with Soghdian legend behind the ruler's head.
Silver.   0.82
PSMFA, $\dfrac{16312}{3854}$.

230. The same, without legend.
Silver.   0.60
Kumsoftan settlement site, Bukhara region, found by accident.
SMAEP, w/n.

230

231. То же.
Серебро. 0,52
Городище Кумсофтан, Бухарская обл., случайная находка.
ГМИНВ, б/н.

231. The same.
Silver. 0.52
Kumsoftan settlement site, Bukhara region, found by accident.
SMAEP, w/n.

232. То же.
Медь. 0,76
Городище Кумсофтан, Бухарская обл., случайная находка.
ГМИНВ, б/н.

232. The same.
Copper. 0.76
Kumsoftan settlement site, Bukhara region, found by accident.
SMAEP, w/n.

233. То же.
Медь. 0,42
Городище Кумсофтан, Бухарская обл., случайная находка.
ГМИНВ, б/н.

233. The same.
Copper. 0.42
Kumsoftan settlement site, Bukhara region, found by accident.
SMAEP, w/n.

НЕИЗВЕСТНЫЙ ЦЕНТР

Монеты серии Гиркода с протомой скачущей лошади на оборотной стороне. I–IV вв. н. э. (?)

234. Голова правителя вправо и согдийская легенда/протома скачущей лошади вправо.
Серебро. 0,73
ГМИИ, $\dfrac{1322}{322}$.
Лит.: Зеймаль, 1978, с. 209.

235. То же.
Серебро. 0,76
ГМИИ, $\dfrac{1321}{321}$.

236. То же, но протома лошади на оборотной стороне влево.
Серебро. 0,45
ГМИИ, $\dfrac{1320}{320}$.

237. То же, но изображение на оборотной стороне совершенно схематизировано.
Серебро. 0,30
ГМИИ, $\dfrac{16314}{3855}$.

UNIDENTIFIED CENTRE

Coins of the Hyrcodus' series with the forepart of a galloping horse on the reverse. 1st–4th cc. A. D. (?)

234. Ruler's head turned right and Soghdian legend/forepart of galopping horse right.
Silver. 0.73
PSMFA, $\dfrac{1322}{322}$
Lit.: Zeimal, 1978, p. 209.

235. The same.
Silver. 0.76
PSMFA, $\dfrac{1321}{321}$

236. The same, but the forepart of a horse on the reverse left.
Silver. 0.45
PSMFA, $\dfrac{1320}{320}$

237. The same, but the image on the reverse over-simplified.
Silver. 0.30
PSMFA, $\dfrac{16314}{3855}$

БУХАРСКИЙ ОАЗИС

Подражания тетрадрахмам греко-бактрийского царя Евтидема. II в. до н. э. – IV в. н. э.

238. Правитель в диадеме вправо/Геракл, сидящий на омфале, и искаженная греческая легенда в две строки.
Серебро. 11,31
ГМИИ, 1292/291.

239. То же, но в поле оборотной стороны введена тамга.
Серебро. 11,08
ГМИИ, 211319/124915.

Согдийский чекан по образцу тетрадрахм Евтидема II в. н. э. – IV в. н. э.

240. Правитель в диадеме вправо/Геракл, сидящий на омфале, и согдийская легенда в две строки.
Серебро. 8,72
ГМИИ, 193015/124670.

241. Правитель в тиаре вправо/согдийская легенда в два полукружия: за спиной и перед лицом Геракла, сидящего на омфале.
Серебро. 8,43
Городище Кумсофтан, Бухарская обл.
ГМИНВ, б/н.

BUKHARA OASIS

Imitations of tetradrachmas of the Greco-Bactrian king Euthydemus. 2nd c. B. C.–4th c. A. D.

238. Laur. head right/Hercules seated on omphalos and degraded Greek legend in two lines.
Silver. 11.31
PSMFA, 1292/291.

239. The same, but with countermark on the reverse.
Silver. 11.08
PSMFA, 211319/124915.

Soghdian stamp imitating tetradrachmas of Euthydemus. 2nd–4th cc. A. D.

240. Laur. head right/Hercules seated on omphalos and a Soghdian legend in two lines.
Silver. 8.72
PSMFA, 193015/124670.

241. Ruler wearing tiara right/Soghdian legend in two semi-circles, behind and in front of Hercules seated on omphalos.
Silver. 8.43
Kumsoftan settlement site, Bukhara region.
SMAEP, w/n.

241

ДОЛИНА КАШКАДАРЬИ

Подражания драхмам Александра. III в. до н. э. – I в. н. э.

242. Голова „Александра" вправо/сидящий Зевс влево.
Серебро. 1,42
МИНУ, 153/1.
Лит.: Зеймаль, 1973, рис. 2, 1.

243. То же.
Серебро. 1,02
МИНУ, 13/7.
Лит.: Зеймаль, 1973, рис. 2, 3.

KASHKADARYA RIVER VALLEY

Imitations of drachmas of Alexander the Great. 3rd c. B. C.–1st c. A. D.

242. "Alexander" head right/Zeus seated left.
Silver. 1.42
MHPU, 153/1.
Lit.: Zeimal, 1973, Fig. 2, 1.

243. The same.
Silver. 1.02
MHPU, 13/7.
Lit.: Zeimal, 1973, Fig. 2, 3.

Монеты с изображением Геракла и Зевса. II–IV вв. н. э.

244. Стоящий Геракл вправо/сидящий Зевс влево.
Серебро. 0,50
МИКИНУ, Н-3.
Лит.: Зеймаль, 1973, с. 68–73.

245. То же.
Серебро. 0,3
МИКИНУ, Н-10018.

Coins with images of Hercules and Zeus. 2nd–4th cc. A. D.

244. Hercules standing right/Zeus seated left.
Silver. 0.50
МНСАРU, Н-3.
Lit.: Zeimal, 1973, pp. 68–73.

245. The same.
Silver. 0.3
МНСАРU, Н-10018.

244

* * *

246. Статуэтка. Фрагмент.
Глина, обжиг. Оттиск в матрице.
6 × 4.
Голова женщины в короне муралис. Округлое, мягко смоделированное лицо обрамлено букля-ми. В ушах – серьги. Покатый лоб плавно перехо-дит в линию носа. Большие глаза очерчены рель-ефными веками. Губы сжаты в легкой улыбке. На голове – сложный головной убор в виде крепо-стной стены с двумя полукруглыми башнями, про-резанными стреловидными бойницами. Пред-ставляет богиню-покровительницу города, воз-можно, Варахши.
Варахша, случайная находка. Первые века н. э.
МИНУ, 19/27.
Лит.: Шишкин, 1968, с. 49, рис. 12, 1;
Пугаченкова, Ремпель, 1960, с. 63.

246. Statuette. Fragment.
Clay, kilning. Stamping in a die.
6 × 4.
Female head in mural crown. Roundish, softly modelled face surrounded with curls. Ear-rings in the ears. Retreating forehead continues the line of the nose. Big eyes emphasized by relief lids. Lips are pressed together, smiling slightly. A sophisticated head-dress in the shape of a crenellated wall with two semicircular towers. Represents the patron goddess of a city, possibly, of Varakhsha.
Varakhsha, found by accident. First centuries A. D.
МНPU, 19/27.
Lit.: Shishkin, 1968, p. 49, Fig. 12, 1.
Pugachenkova, Rempel, 1960, p. 63.

246

248,247

247. Статуэтка женщины.
Глина, обжиг. Оттиск в матрице.
7,7 × 3.
Аяктепа 2 близ Варахши. Первые века н. э.
МИКИНУ, А-385-5.
248. Статуэтка женщины.
Глина, обжиг. Оттиск в матрице.
7,4 × 2,8.
Аяктепа 2 близ Варахши. Первые века н. э.
МИКИНУ, А-385-6.
Лит.: Шишкин, 1963, с. 142–143.

247. Statuette of a woman.
Clay, kilning. Stamping in a die.
7.7 × 3.
Ayaktepa-2 near Varakhsha. First centuries A. D.
MHCAPU, A-385-5.
248. Statuette of a woman.
Clay, kilning. Stamping in a die.
7.4 × 2.8.
Ayaktepa-2 near Varakhsha. First centuries A. D.
MHCAPU, A-385-6.
Lit.: Shishkin, 1963, pp. 142–143.

249. Очажная под-
ставка. Фрагмент.
Глина, обжиг. Лепка.
13 × 6.
Верхний край увенчан
грубой антропоморфной
личиной.
Булакбаши, Случайная
находка.
I–II вв. н. э. (возможно, IV
в. н. э.).
ИИ.
Лит.: Пугаченкова. В пе-
чати.

249. Hearth support.
Fragment.
Clay, kilning. Modelling.
13 × 6.
Top crowned with gross anthropomorphous face.
Bulakbashi, found by accident.
1st–2nd cc. A. D. (possibly,
4th c. A. D.)
IAR.
Lit.: Pugachenkova. Being
published.

249

250. Очажная под-
ставка. Фрагмент.
Глина, обжиг. Лепка.
11 × 10.
Имитирует фигурку ба-
рана с крупными за-
крученными рогами.
Булакбаши, случайная
находка.
I–II вв. н. э. (возможно, IV
в. н. э.).
ИИ.
Лит.: Пугаченкова. В пе-
чати.

250. Hearth support.
Fragment.
Clay, kilning. Modelling.
11 × 10.
Imitation of a ram with large
screwed horns.

Bulakbashi, found by accident.
1st–2nd cc. A. D. (possibly,
4th c. A. D.)
IAR.
Lit.: Pugachenkova. Being
published.

250

251. Гемма инталия.
Сердолик. Резьба.
1,5 × 1,2.
Профильное изображение мужской головы в гре-
ческом шлеме.
Самарканд. III–IV вв. н. э.
МИНУ, Н-60/58.
Лит.: Пугаченкова, 1963, с. 68.

252. Гемма инталия.
Сердолик. Резьба.
Д. 1,5.
Профильное изображение бородатого воина
в греческом шлеме. Самарканд (?). III–IV вв. н. э.
МИНУ, Н-60/32.
Лит.: Пугаченкова, 1963, с. 68, ил. I.

251. Gemma intaglio.
Cornelian. Carving.
1.5 × 1.2.
Profile of a male head in Greak helmet.
Samarkand. 3rd–4th cc. A. D.
MHPU, H-60/58.
Lit.: Pugachenkova, 1963, p. 68.

252. Gemma intaglio.
Cornelian. Carving.
D. 1.5.
Profile of a bearded warrior in Greek helmet.
Samarkand (?). 3rd–4th cc. A. D.
MHPU, H-60/32.
Lit.: Pugachenkova, 1963, p. 68, Fig. 1.

253. Гемма инталия.
Аметист. Резьба.
1,2 × 1,1.
Бородатый мужчина.
В поле – согдийская над-
пись из трех знаков,
передающих имя соб-
ственное владельца пе-
чати.
Согд (?). III–IV вв. н. э.
МИКИНУ, М-115.
Лит.: Борисов, 1963,
с. 54–55, рис. 1.

253. Gemma intaglio.
Amethyst. Carving.
1.2 × 1.1.
Bearded man. Soghdian
legend of three characters,
spelling the name of the
owner.
Soghd (?). 3rd–4th cc. A. D.
MHCAPU, M-115.
Lit.: Borisov, 1963, pp. 54–
55, Fig. 1.

253

АФРАСИАБ

Городище древнего и средневекового Самарканда на северо-восточной окраине современного города. Экономический и административный центр Согда (в греческом варианте – Согдианы).

Город был основан на холмистом плато сложного подтреугольного абриса площадью 219 га в середине 1 тыс. до н. э., возможно, как форпост ахеменидской экспансии. Впоследствии он становится активным участником международной торговли на „Шелковом пути". Этот крупный ремесленный центр, первоначально обвалованный мощной насыпью, затем укрепляется стенами из продолговатого сырцового кирпича с продольными коридорами, снабженными вентиляционными щелями и бойницами. Северный участок города был дополнительно укреплен бастионом и цитаделью. Для обеспечения города водой потребовалось сооружение акведука, известного в средние века под именем Джуи-Арзиз (араб. Свинцовый поток).

Впервые Самарканд (в форме Мараканда) упоминается в источниках, основанных на сообщениях историков походов Александра Македонского, где он предстает большим укрепленным городом с защищенной стеной округой (ок. 13 кв. км). Александр, по-видимому, взявший город без боя, выдержал затем длительную борьбу с согдийцами под водительством Спитамена. Вскоре после греко-македонского завоевания город восстанавливает укрепления. Отдельные участки старых стен или продолжают функционировать или служат основанием (до 7 м высотой) новым крепостным сооружениям, построенным также с внутренним коридором, но уже со стрельчатыми бойницами и из квадратного кирпича. Кладка ведется с соле- и влагозащитными прослойками из камыша и антисейсмическим поясом из арчевых балок. Полы коридоров по всему более чем пятикилометровому периметру обороны устилаются досками. Признаки монументальных построек III - II веков до н. э. сохранились только в обломках каменных баз. Выявлены водоемы, вокруг которых росли фруктовые деревья, в их числе знаменитые золотые и серебреные персики Самарканда. Формы и качество керамики говорят о высокой степени эллинизации. В это время гончары начинают выпускать терракотовые фигурки преимущественно женщин, реже мужчин и всадников. Поначалу они изготовляются по высокохудожественным эллинистическим образцам. Затем их сменяют сильно стилизованные большеголовые изображения.

В первые века н. э. с постепенным спадом городской жизни активное купечество Самарканда, став избыточным в родном городе, отправляется на поиски мест выгодного приложения своей деятельности, основывает новые фактории, расширяет издавна существовавшие согдийские колонии. Сохранились письма, написанные в начале IV века согдийской женщиной из Дуньхуана к матери в Самарканд. В это время приходят в упадок городские укрепления, на месте жилых кварталов появляются пустыри.

AFRASIAB

A settlement on the site of ancient and medieval Samarkand in the north-eastern suburb of the present-day city. The economic and administrative centre of Soghdiana.

The city was founded on a hilly plateau of a complex outline with an area of 219 hectares in the middle of the 1st millennium B. C., possibly, as an advanced post of the Akhemenid expansion. Later on, it participated actively in the international trade along the "Great Silk Road". That major trade centre, initially surrounded with a powerful rampart, was later fortified by walls made of oblong unbacked bricks with lengthwise corridors, supplied with ventilation and arrow slits. The northern part of the city was additionally fortified with a bastion and a citadel. To supply the city with water, an accqueduct was built, known in the Middle Ages as Djui-Arziz (meaning "lead stream" in Arabic).

Samarkand was first mentioned as Marakanda in documents based on reports of historians of marshes of Alexander the Great, in which it is described as a large fortified city with its environs protected by a wall (about 13 sq. km). Alexander, who probably seized the city without any resistance, afterwards had to wage war with Soghdians led by Spitamen, for a long time. Soon after the Greco-Macedonian conquest the city restored its fortifications. Some sections of the old walls either continued to fulfil their old function, or were used as the foundation (up to 7 m high) of the new fortifications, built also with corridors, but this time with lancet arrow-slits and of square bricks. Brickwork was interspaced with salt- and water-proof reed layers and an anti-seismic belt of juniper beams. The floor in the corridors was covered with planks the entire length of the five-kilometre perimetre. Remnants of monumental structures of the 3rd–2nd centuries B. C. have survived only in fragments of the stone base. Ponds have been found, which in ancient times were surrounded with tress, including the famous golden and silver peaches of Samarkand. The shapes and the quality of ceramics betray a high degree of Hellenization. At that time potters started to make terracotta statuettes, mostly of women, and more rarely of men, including horsemen. At first, they followed the high artistic standards of Hellenic examples. But later on they switched over to making grossly stylized statuettes with huge heads.

In the first centuries A. D. city life gradually came to a stand-still. The most active tradesmen of Samarkand, unwanted in their own city, set out for other places where they could put their energy to better use. They founded new trading stations and expanded Soghdian colonies that had existed since previous times. There have survived letters written by a Soghdian woman who lived in Dunhuan in the early 4th century, to her mother in Samarkand. During that period the city fortifications decayed, and residential neighbourhoods turned into waste land.

254. Чаша.
Глина, обжиг. Формовка на гончарном круге. Красный ангоб, лощение.
В. 3, 6. Д. 9.
III–I вв. до н. э.
МИОС, 9-166.

255. Кубок.
Глина, обжиг. Формовка на гончарном круге. Красный ангоб, горизонтально- и вертикально-полосчатое лощение.
В. 11, 4. Д. 16.
Раскоп 25/VI. III–II вв. до н. э.
МИОС, ОА-2-22.

256. Кубок на ножке.
Глина, обжиг. Формовка на гончарном круге. Красный ангоб, вертикально-полосчатое лощение.
В. 21,3. Д. 13.
Около II в. до н. э.
МИОС, ОА-82-1.
Лит.: Шишкина, 1975, с. 61, 62, рис. 1, I; 2.

254. Bowl.
Clay, kilning. Moulding on the potter's wheel. Red engobe, polishing.
H. 3.6. D. 9.
3rd–1st cc. B. C.
MHFS, 9-166.

255. Goblet.
Clay, kilning. Moulding on the potter's wheel. Red engobe, horizontal and vertical polished lines.
H. 11.4. D. 16.
Excavation 25/VI. 3rd–2nd cc. B. C.
MHFS, OA-2-22.

256. Goblet on the stem.
Clay, kilning. Moulding on the potter's wheel. Red engobe, vertical polished lines.
H. 21.3. D. 13.
About 2nd c. B. C.
MHFS, OA-82-1.
Lit.: Shishkina, 1975, pp. 61, 62, Fig. 1, I; 2.

255, 256, 254, 262

257. Кубок на ножке.
Глина, обжиг. Формовка
на гончарном круге.
В. 13. Д. 9,5.
Рубеж н. э. – I в. н. э.
МИКИНУ, А-363-18.
Лит.: Кабанов, 1973,
с. 53–54, рис. 12.

257. Goblet on stem.
Clay, kilning. Moulding on
the potter's wheel.
H. 13. D. 9.5.
Turn of the millennium – 1st
c. A. D.
MHCAPU, A-363-18.
Lit.: Kabanov, 1973, pp. 53,
54, Fig. 12.

257

258. Налеп на стенке сосуда (кратера).
Глина, обжиг в восстановительной среде. Оттиск штампа. Ангоб.
6,8 × 6.
Голова Силена. Выпуклый лоб переходит в лысое темя, на висках — крупные четырехлепестковые розетки. Круглые глаза близко посажены, широкий нос приплюснут. Лицо обрамлено волнистыми прядями бороды.
III—II вв. до н. э.
МИКИНУ, А-19-164.
Лит.: Мешкерис, 1962, с. 97—98, № 358, 359.
Шишкина, 1965, с. 180, 181.

258

258. Detail stuck on the vessel (crater).
Clay, kilning in the restoration medium. Impression of the stamp. Engobe.
6.8 × 6.
Silenus's head. Bulging forehead passes into bald head, on the temples are large four-petal rosettes. Close-set round eyes. Broad and flat nose. Face framed with wavy strands of the beard.
3rd—2nd cc. B. C.
MHCAPU, A-19-164.
Lit.: Meshkeris, 1962, pp. 97, 98, No. 358, 359.
Shishkina, 1965, pp. 180, 181.

259. Чаша с горизонтальным бортом.
Глина, обжиг. Формовка на гончарном круге.
В. 7,5. Д. 15,5.
Первые века до н. э.
МИКИНУ, А-6-18.
Лит.: Шишкина, 1975, с. 65—66.

259. Bowl with horizontal rim.
Clay, kilning. Moulding on the potter's wheel.
H. 7.5. D. 15.5.
First centuries B. C.
MHCAPU, A-6-18.
Lit.: Shishkina, 1975, pp. 65, 66.

259

260. Кувшин-ойнохойя. Глина, обжиг. Формовка на гончарном круге. Красный ангоб, полосчатое лощение.
Первые века до н. э.
МИКИНУ, А-421-2.
Лит.: Кабанов, 1948, с. 77–79.

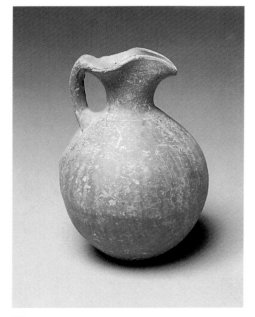

260

260. Oenochoe jug. Clay, kilning. Moulding on the potter's wheel. Red engobe, polished lines.
First centuries B. C.
MHCAPU, A-421-2.
Lit.: Kabanov, 1948, pp. 77–79.

261

261. Чаша. Глина, обжиг. Формовка на гончарном круге. Темно-коричневый ангоб.
В. 6. Д. 10,5.
Полусферический резервуар, горловина раструбом.
III–II вв. до н. э.
ИА.
Лит.: Шишкина, 1975, с. 65, рис. 6, 2.

261. Bowl. Clay, kilning. Moulding on the potter's wheel. Dark-brown engobe.
H. 6. D. 10.5.
Semi-spheric reservoir, bell-mouth.
3rd–2nd cc. B. C.
AI.
Lit.: Shishkina, 1975, p. 65, Fig. 6, 2.

262. Фляга. Глина, обжиг. Формовка на гончарном круге, подрезка. Красный ангоб.
Д. 22,3.
Катушковидные ручки с продольным отверстием (одна из них утрачена).
Раскоп 6. Первые века до н. э.
МИОС, 9-164.

262. Flask. Clay, kilning. Moulding on the potter's wheel, cutting. Red engobe.
D. 22.3.
Reel-shaped handles with through apertures (one of them lost). Excavation 6. First centuries B. C.
MHFS, 9-164.

263. Налеп на сосуд.
Глина, обжиг. Оттиск в матрице. Красный ангоб.
В. 3,6.
Изображение головки эллинистического типа дионисийского круга.
Первые века до н. э.
МИКИНУ, А-36-20.

263. Detail stuck on the vessel.
Clay, kilning. Stamping in a die. Red engobe.
H. 3.6.
Hellenistic-type head of the Dionysus circle.
First centuries B. C.
MHCAPU, A-36-20.

264

264. Статуэтка флей-тистки.
Глина, обжиг. Оттиск в матрице. Красный ан-гоб.
9 × 4,4.
Одета в длинную одежду типа туники. В руках — вертикальная флейта.
III–II вв. до н. э.
МИКИНУ, А-505-6.

264. Statuette of a flute-player (female).
Clay, kilning. Stamping in a die. Red engobe.
9 × 4.4.
Dressed in a long tunic-like attire. Vertical flute in the hands.
3rd–2nd cc. B. C.
MHCAPU, A-505-6.

265. Статуэтка. Фраг-мент.
Глина, обжиг. Оттиск в матрице. Красно-корич-невый ангоб.
5 × 4.
Голова женской фигуры. Округлое лицо обрамле-но спускающимися на лоб прямыми прядями волос, завитками, лежащими на щеках. В ушах – круглые серьги. На голове – со-бранный в мелкие склад-ки тюрбан, на темени за-вязанный большим бан-том. Миндалевидные глаза вытянуты к вискам. Слегка намечен утол-щенный нос и небольшие пухлые губы. На шее – ожерелье из круглых бус. Самарканд, случайная находка.
III–I вв. до н. э.
МИНУ, 17/61.

265. Statuette, Frag-ment.
Clay, kilning. Stamping in a die. Red-brown engobe.
5 × 4.
Female head. Round face framed with straight strands of hair on the forehead and curls on the cheeks. Round ear-rings. Turban on the head, tied into a large bow on top. Almond-shaped eyes extend toward temples. Thickened nose and small plump lips slightly outlined. Necklace of round beads. Samarkand, found by acci-dent.
3rd–1st cc. B. C.
MHPU, 17/61.

265, 266

266. Статуэтка. Фрагмент.
Глина, обжиг. Красно-коричневый ангоб.
9 × 15.
Торс женского божества. Длинное, ниспадающее до пят платье с длинными рукавами, подпоясанное под грудью. На плечи поверх платья накинут камзол с длинными рукавами – кандиз. На шее – ожерелье из крупных бус и гривна. Правая рука у пояса держит какой-то плод. Левая, опущенная вниз, – держит плод граната. Между гранатом и ступней изображен присевший на корточки младенец, руками упирающийся в бедра.
Самарканд, случайная находка. III–I вв. до н. э.
МИНУ, 17/21.
Лит.: Мешкерис, 1977, с. 22–23.

266. Statuette, Fragment.
Clay, kilning. Red-brown engobe.
9 × 15.
Torso of a female deity. Dress reaching down to the feet, tied up below breast, with long sleeves. Camisole (kandiz) with long sleeves thrown over the shoulders. Necklace of large beads and a pendant. Right hand holding fruit at waistline. Left hand down, holding a pomegranate. Between the pomegranate and the foot-a squatting infant, with arms on hips.
Samarkand, found by accident. 3rd–1st cc. B. C.
MHPU, 17/21.
Lit.: Meshkeris, 1977, pp. 22–23.

267. Статуэтка.
Глина, обжиг. Оттиск в матрице. Темно-коричневый ангоб.
9 × 4.
Женская фигура эллинистического облика в драпирующихся одеждах.
Афрасиаб, случайная находка. III–II вв. до н. э.
МИКИНУ, А-19-100.
Лит.: Вяткин, 1926, рис. 12;
Мешкерис, 1977, табл. XXV, № 24.

267

267. Statuette.
Clay, kilning. Stamping in a die. Dark-brown engobe.
9 × 4.
Hellenistic-type female figure in draped clothes.
Afrasiab, found by accident. 3rd–2nd cc. B. C.
MHCAPU, A-19-100.
Lit.: Viatkin, 1926, Fig. 12;
Meshkeris, 1977, table XXV, No. 24.

268. Статуэтка флейтистки.
Глина, обжиг. Оттиск в матрице. Красный ангоб.
В. 8,5.
Афрасиаб, случайная находка. III–II вв. до н. э.
МИКИНУ, А-19-88.
Лит.: Мешкерис, 1962, № 91.

268

268. Statuette of a female flute player.
Clay, kilning. Stamping in a die. Red engobe.
H. 8.5.
Afrasiab, found by accident. 3rd–2nd cc. B. C.
MHCAPU, A-19-88.
Lit.: Meshkeris, 1962, No. 91.

269. Статуэтка.
Глина, обжиг. Оттиск
в матрице.
7,5 × 3,3.
Музыкант с духовым ин-
струментом — попереч-
ный цилиндр с перпен-
дикулярным к нему мунд-
штуком.
Первые века н. э.
МИНУ, 17/85.
Лит.: Мешкерис, 1977,
с. 29—30, табл. XXVI, 38.

269. Statuette.
Clay, kilning. Stamping in a
die.
7.5 × 3.3.
Musician holding a wind instrument – diametrical cylinder with perpendicular
mouth-piece.
First centuries A. D.
MHPU, 17/85.
Lit.: Meshkeris, 1977,
pp. 29—30, table XXVI, 38.

269

270. Статуэтка. Фраг-
мент.
Глина, обжиг. Оттиск
в матрице.
3,5 × 4,3.
Узкое, тонко смоделиро-
ванное лицо, волосы на-
до лбом уложены двумя
крупными завитками.
III—IV вв. н. э.?
МИКИНУ, А-19-23.
Лит.: Мешкерис, 1962,
с. 83, № 277.

270. Clay. Fragment.
Clay, kilning. Stamping in a
die.
3.5 × 4.3.
Narrow, finely modelled
face, hair above forehead
done in two large curls.
3rd—4th cc. A. D. (?)
MHCAPU, A-19-23.
Lit.: Meshkeris, 1962, p. 83,
No. 277.

270

271. Плакетка — деталь (навершие?) какого-то предмета.
Глина, обжиг. Оттиск в матрице.
В. 6,6.
Барельефное изображение женской фигуры в высоком головном уборе. Правая рука поднята к плечу, левая на лоне. Нижняя часть фигуры задрапирована складчатой одеждой.
III—IV вв. н. э.?
МИКИНУ, А-180-4312.
Лит.: Мешкерис, 1962, № 110.

271

271. Plaquette – part (top?) of an object.
Clay, kilning. Stamping in a die.
H. 6.6.
Bas-relief of a woman in the high headdress. Right hand raised to the shoulder, left hand in the lap. Lower part of the figure is draped.
3rd–4th cc. A. D.?
MHCAPU, A-180-4312.
Lit.: Meshkeris, 1962, No. 110.

ОРЛАТСКИЙ МОГИЛЬНИК

Расположен на гряде адыров вдоль русла реки Саганак к западу от городища Кургантепа в Кошрабадском районе Самаркандской области. Протяженность с севера на юг около четырех километров.

Исследовано 10 курганов, в которых зафиксирован в большинстве случаев единый погребальный обряд — трупоположение на спине. Погребальные сооружения подразделяются на подбойные и катакомбные. Зафиксированы узкие наклонные и широкие многоступенчатые дромосы. Подбой и катакомбы закладывались крупноформатным сырцовым кирпичом.

Большинство курганов подверглось ограблению в древности. Сохранившийся погребальный инвентарь включает костяные обкладки луков, железные наконечники стрел, мечи, кинжалы с нефритовым перекрестьем, лепную и станковую керамику. Особый интерес представляют костяные накладки на ременные пряжки и более мелкие пластины поясного набора с гравированными изображениями. В двух курганах найдены золотые крученые нити от одеяний погребенных. Изученные курганы датируются I—II веками н. э.

ORLAT BURIAL GROUND

Situated on dry lands along the Saganak river bed to the west from the Kurgantepa settlement site in the Koshrabad district, Samarkand region. About 4 km from north to south.

Ten burial mounds have been studied, and most of them keep traces of the burial rite, according to which the corpse was placed on its back. Burial structures were of two types: pits and catacombs. There were narrow sloping and wide stepped dromi. Pits and catacombs were blocked up with large adobe bricks.

Most burial mounds were looted in ancient times. Among the objects that have survived are bone plates for bows, iron arrow-heads, swords, daggers with jade hilts, modelled and moulded ceramics. Of special interest are bone plates for belt buckles and smaller plates for belts with engraved images. Gold lisle threads from the garments of the deceased were found in two burial mounds. The studied burial mounds date back to the 1st–2nd centuries A. D.

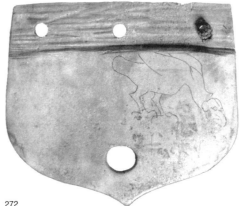

272. Накладка поясного рельефа.
Кость. Полировка, гравировка.
6 × 5.
На правой половине пластины сохранилось изображение грифа, клюющего добычу.
Курган 2. I—II вв. н. э.
ИИ, IX/281.
Лит.: Пугаченкова, 1987, с. 59.

272

272. Belt plate.
Bone. Polishing, engraving.
6 × 5.
The right-hand half of the plate bears the image of a vulture pecking its prey.
Burial mound 2. 1st–2nd cc. A. D.
IAR, IX/281.
Lit.: Pugachenkova, 1987 p. 59.

273. Накладка поясно-
о набора.
Кость. Полировка, грави-
ровка.
6 × 5.
Поединок двух пеших
воинов в доспехах, во-
оруженных копьями, лу-
ком и мечом.
Курган 2. I–II вв. н. э.
ИИ, IX/282.
Лит.: Пугаченкова, 1987,
с. 59.

273. Belt plate.
Bone. Polishing, engraving.
6 × 5.
Fight of two warriors in
armour, holding spears, a
bow and a sword.
Burial mound 2. 1st–2nd
cc. A. D.
IAR, IX/282.
Lit.: Pugachenkova, 1987,
p. 59.

273

274. Накладка поясно-
о набора.
Кость. Полировка, грави-
ровка.
6 × 5.
Схватка двух верблю-
дов-бактрианов.
Курган 2. I–II вв. н. э.
ИИ, IX/280.
Лит.: Пугаченкова, 1987,
с. 59.

274. Belt plate.
Bone. Polishing, engraving.
6 × 5.
Fight of two Bactrian
camels.
Burial mound 2. 1st–2nd
cc. A. D.
IAR, IX/280.
Lit.: Pugachenkova, 1987,
p. 59.

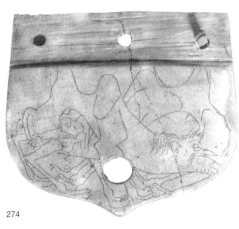

274

275. Накладка на по-
ясную пряжку.
Кость. Полировка, грави-
ровка.
13,5 × 11.
Охота трех всадников-
лучников на оленей, ку-
ланов и архаров.
Курган 2. I–II вв. н. э.
ИИ, IX/279.
Лит.: Пугаченкова, 1987,
с. 58.

275. Plate for belt
buckle.
Bone. Polishing, engraving.
13.5 × 11.
Three horsemen with bows
hunting deer, kulans (Asian
horse) and mountain goats.
Burial mound 2. 1st–2nd
cc. A. D.
IAR, IX/279.
Lit.: Pugachenkova, 1987,
p. 58.

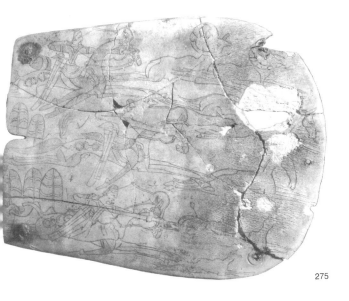

275

276. Накладка на поясную пряжку.
Кость. Полировка, гравировка.
13,5 × 11.
Сражение двух групп воинов в наборных доспехах, конных и пеших, вооруженных луками, мечами, копьями, боевым топором.
Курган 2. I—II вв. н. э.
ИИ, IX/278.
Лит.: Пугаченкова, 1987, с. 57;
Маршак. 1987, с. 235.

276. Plate for belt buckle.
Bone. Polishing, engraving.
13.5 × 11.
Fight of two groups of warriors in armour, both on horseback and unmounted, armed with bows, swords, spears and axes.
Burial mound 2. 1st—2nd cc. A. D.
IAR, IX/278.
Lit.: Pugachenkova, 1987, p. 57.
Marshak, 1987, p. 235.

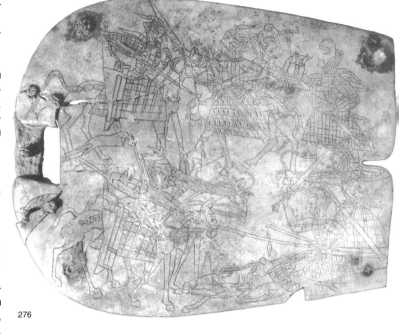

276

277. Пряжка.
Бронза. Литье.
13 × 5,5.
Рельефное изображение лежащего хищника семейства кошачьих.
Курган 6. I—II вв. н. э.
ИИ.
Лит.: Пугаченкова. В печати.

277. Buckle.
Bronze. Casting.
13 × 5.5.
Relief representation of a lying wild animal of the feline family.
Burial mound 6. 1st—2nd cc. A. D.
IAR.
Lit.: Pugachenkova, Being published.

277

МОГИЛЬНИК КУЛКУДУК

Могильник III—II веков до н. э., расположен в Учкудукском районе Навоийской области в 8 км юго-западнее горы Ирлир – высшей точки горного хребта Букантау, в центре пустыни Кызылкум.

Занимает плоскую вершину одной из немногих возвышенностей и состоит из 7 курганов. На севере курганной группы главенствует курган диаметром 27 м, с насыпью трехметровой высоты. Южнее – широтной цепочкой вытянуты четыре значительно меньшие насыпи.

Все курганы окружены ровиками шириной 2—7 м.

Погребенные лежали в ямах или подбоях глубиной 1,45—2,60 м головой на юго-запад в вытянутом положении на спине. Отмечено одно парное захоронение. В женских погребениях обнаружены бронзовые зеркала, браслеты, кольца, перстни, серьги разных типов из бронзы и золота, браслеты из бус, золотые нашивки на одежду.

Мужские захоронения сопровождаются железными трехлопастными черешковыми наконечниками стрел, сложносоставными луками длиной 0,9 м, кинжалами, мечами с прямыми перекрестиями. На мечах и луках сохранились остатки кожи их чехлов, окрашенных киноварью.

Найдены костяные накладки на пояса, бронзовые заклепки, железные и бронзовые пряжки.

Захоронения сопровождались заупокойной пищей, гончарными, лепными и деревянными сосудами.

KULKUDUK BURIAL GROUND

The burial ground of the 3rd—2nd centuries B. C., situated in the Uchkuduk district, Navoi region, in 8 km to the south-west from Mount Irlir, the highest peak in the Bukantau mountain range in the centre of the Kyzylkum desert.

Occupies the flat top of one of the few heights and consits of seven burial mounds. The northern part of the burial ground is dominated by a mound of 27 m in diametre and 3 m high. To the south lie four considerable smaller mounds forming a latitudinal chain.

All burial mounds are surrounded with ditches 2—7 m wide.

Corpses were placed on their back with their heads to the south-west in pits or graves 1.45—2.60 m deep. On grave contained a couple. In women's graves there were bronze mirrors, bracelets, rings, bronze and gold ear-rings of various kinds, bracelets made of beads and gold plates for garments.

Men's graves contained iron three-bladed arrowheads, composite bows 0.9 m long, daggers and swords with cross-pieces. Remnants of leather sheths died vermillion have survived on swords and bows.

Among the finds are bone plates for belts, bronze rivets, iron and bronze buckles.

Food, pottery and wooden vessels were found in burial mounds.

278. Ювелирное изделие.
Золото, бирюза. Литье, ковка, инкрустация.
2,3 × 0,7.
III—II вв. до н. э.
ИА.

279. Подвеска в виде амфоры.
Золото, агат.
Дл. общая 2,5. Дл. бусины 1,6.
III—II вв. до н. э.
ИА.

278. Piece of jewelry.
Gold, turquoise. Casting, forging, inlay.
2.3 × 0.7.
3rd—2nd cc. B. C.
AI.

279. Amphora-shaped pendant.
Gold, agate.
Total length 2.5. Length of the bead 1.6.
3rd—2nd cc. B. C.
AI.

281, 280

280. Подвеска.
Агат. Шлифовка, сверление.
Дл. 2,5.
III–II вв. до н. э.
ИА.

280. Pendant.
Agate. Polishing, drilling.
L. 2.5.
3rd–2nd cc. B. C.
AI.

281. Бусина.
Сердолик. Шлифовка, сверление.
Дл. 1,5.
III–II вв. до н. э.
ИА.

281. Bead.
Cornelian. Polishing, drilling.
L. 1.5.
3rd–2nd cc. B. C.
AI.

282. Перстни (2 экз.).
Бронза. Литье.
Д. 1,6; 1,9.
III–II вв. до н. э.
ИА.

282. Rings (2 pieces).
Bronze. Casting.
D. 1.6; 1.9.
3rd–2nd cc. B. C.
AI.

282

283. Щиток перстня-печатки.
Бронза. Литье.
Д. 1,3.
В поле изображено фан-
тастическое животное
(грифон).
III—II вв. до н. э.
ИА.

283. Plate of a signet-ring.
Bronze. Casting.
D. 1.3.
Representation of a mythical animal (gryphon).
3rd—2nd cc. B. C.
AI.

284. Зеркало.
Бронза. Литье.
Д. 12,7.
III—II вв. до н. э.
ИА.

284. Mirror.
Bronze. Casting.
D. 12.7.
3rd—2nd cc. B. C.
AI.

285. Зеркало.
Бронза. Литье.
Д. 11,7.
III—II вв. до н. э.
ИА.

285. Mirror.
Bronze. Casting.
D. 11.7.
3rd—2nd cc. B. C.
AI.

284, 285

286. Накладки на пояс (5 экз.).
Кость.
Дл. 5,0.
III—II вв. до н. э.
ИА.

286. Plates for belt.
(5 pieces).
Bone.
L. 5.0.
3rd—2nd cc. B. C.
AI.

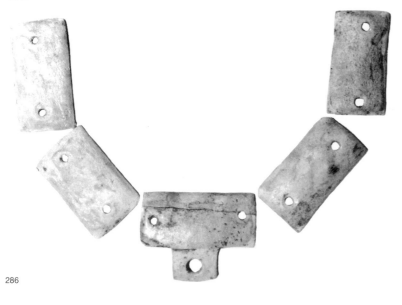

286

ЕРКУРГАН

Руины древней столицы оазиса и владения, известного в раннем средневековье под названием Нахшеб и расположенного в долине реки Кашкадарьи. Город возник на месте неукрепленного поселения IX–VIII веков до н. э. В V веке до н. э., когда город занял территорию в 35 га, он окружается стеной, которая впоследствии многократно ремонтировалась и надстраивалась. С ростом городской застройки, занявшей в первые века н. э. площадь 150 га, возводится новое городское укрепление, и Еркурган приобретает двухчастную структуру с двумя линиями крепостных стен. Среди монументальных сооружений следует упомянуть древнейшую зороастрийскую дахму, бывшую за пределами внутренней стены, дворец на высокой кирпичной платформе, в центре города два храмовых здания, обращенных на юг, на городскую площадь. Вокруг города в радиусе до 1–2 км сложилась округа со множеством пригородных строений, среди которых были и сельские усадьбы, и отдельные монументальные сооружения.

ERKURGAN

Ruins of the ancient capital of an oasis and a principality known in the Early Middle Ages as Nahsheb and situated in the Kashkadarya River basin. The city was built on the site of an unfortified settlement of the 9th–8th centuries B. C. In the 5th century B. C. when the city occupied a territory of 35 hectares, it was surrounded with a wall which was repetedly repaired, and its height was raised many times. As the city grew to reach an area of 150 hectares in the first centuries A. D., new fortifications were built. At that time Erkurgan consisted of two parts, each enclosed within its respective fortress wall. As for monumental buildings, we should mention a very ancient Zoroastrian dakhma located just outside the inner wall, a palace on a high brick platform, and two temples on the central square facing south. Within the radius of 1–2 km the city was surrounded with suburban buildings, which included both country estates and monumental structures.

287. Курильница.
Глина, обжиг. Лепка.
Налепы, насечка, пунцонирование, процарапывание.
В. 30. Д. 14,3.
III–IV вв. н. э.
МИКИНУ, А-466-7.
Лит.: Сулейманов, 1987, с. 140.

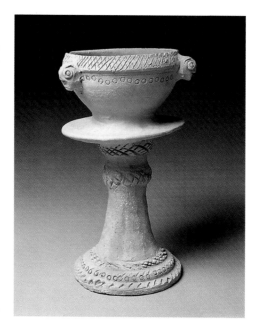

287. Insense-burner.
Clay, kilning. Modelling.
Stuck-on details, incision, punctures and scratches.
H. 30. D. 14.3.
3rd–4th cc. A. D.
MHCAPU, A-466-7.
Lit.: Suleimanov, 1987, p. 140.

287

288. Крышка сосуда.
Глина, обжиг. Комбинированная техника.
В. 6. Д. 18.
Крышка конической формы, ручка оформлена в виде оттиснутой в матрице фигуры женщины с ребенком.
III–IV вв. н. э.
ИА.
Лит.: Исамиддинов, Сулейманов, 1984, с. 129.

288. Vessel lid.
Clay, kilning. Combined technique.
H. 6. D. 18.
Conic lid, handle in the form of a woman holding an infant, stamped in a die.
3rd–4th cc. A. D.
AI.
Lit.: Isamiddinov, Suleimanov, 1984, p. 129.

288

289. Булла.
Глина, обжиг. Оттиск печати.
Д. 3,5. В. 3.
На квадратном поле в центре изображение всадника на грифоне с вытянутой вперед правой рукой. Перед ним стоит фигура в длинном платье с протянутой чашей в левой руке. В левом верхнем углу – изображения астральных символов. На обратной стороне буллы – ручка с отверстием для шнурка.
I–II вв. н. э.
ИА.
Лит.: Исамиддинов, Сулейманов, 1984, с. 69; Сулейманов, 1980, с. 459.

289

289. Bulla.
Clay, kilning. Impression from a seal.
L. 3.5. H. 3.
A square field bears a representation of a rider on gryphon with his right arm extended forward. Facing him is a figure holding a bowl in its left hand. Astral symbols in the top left-hand corner. On the reverse of the bulla is a handle with an aperture for a cord.
1st–2nd cc. A. D.
AI.
Lit.: Isamiddinov, Suleimanov, 1984, p. 69.
Suleimanov, 1980, p. 459.

184

290. Львиная маска.
Матрица. Оттиск. Глина, обжиг.
Дл. 9,8.
IV в. н. э.
ИА.
Лит.: Археология СССР, 1985, табл. CXI, 7.

290. Lion mask.
Clay, kilning. Stamping in a die.
L. 9.8.
4th c. A. D.
AI.
Lit.: Archeology in the USSR, 1985, table CXI, 7.

290

291

291. Подвеска.
Золото. Пайка, чеканка, инкрустация.
Подвеска выполнена в виде ежа. Фигурка полая, в спинку вправлена перламутровая раковина – „наутилус".
III–IV вв. н. э.
МИ.
Лит.: Сулейманов, Исамиддинов, Сабиров, Нефедов, 1975, с. 513–514.

291. Pendant.
Gold. Soldering, embossing, inlay.
Pendant shaped like a hedgehog. The figure is hollow, with a mother-of-pearl shell "nautilus" inlaid in its back.
3rd–4th cc. A. D.
MA.
Lit.: Suleimanov, Isamiddinov, Sabirov, Nefedov, 1975, pp. 513–514.

292. Бляшка.
Золото. Пайка.
Выполнена в виде оборонительной стены с башней.
Первые века н. э.
Лит.: Сулейманов, Исхаков, Туребеков, Нефедов, 1977, с. 539–540.

293. Гемма.
Агат. Резьба, шлифовка.
Изображение обнаженной мужской фигуры (Зевс?) с посохом, на котором сидит птица.
I в. до н. э.
МАЮИ.
Лит.: Сулейманов, 1981, с. 461.

294. Статуэтка.
Агат. Резьба, шлифовка, сверление.
В. 5,7.
Обнаженная фигура мужчины в позе атланта. В основании просверлены 4 отверстия, на темени сохранилась часть трубки, предназначенной для крепления.
III–IV вв. н. э.
ИА.
Лит.: Сулейманов, Исамиддинов, Сабиров, Нефедов, 1975, с. 513–514.

295. Пронизь.
Агат. Шлифовка.
1,3 × 2,5 × 2,3.
В виде миниатюрной лягушки.
III–IV вв. н. э.

292. Buckle.
Gold. Soldering.
Shaped like a defensive wall with a tower.
First centuries A. D.
Lit.: Suleimanov, Iskhakov, Turebekov. Nefedov, 1977, pp. 539–540.

293. Gemma.
Agate. Carving, polishing.
Nude male figure (Zeus?) holding a crook with a bird sitting on it.
1st c. B. C.
MAJ.
Lit.: Suleimanov, 1981, p. 461.

294. Statuette.
Agate. Carving, polishing, drilling.
H. 5.7.
Nude male figure in the posture of an atlantes. Four apertures drilled in the base. On top of the head – a fragment of a tube for fastening.
3rd–4th cc. A. D.
AI.
Lit.: Suleimanov, Isamiddinov, Sabirov, Nefedov, 1975, pp. 513–514.

295. Bead
Agate. Polishing.
1.3 × 2.5 × 2.3.
Miniature frog.
3rd–4th cc. A. D.

295, 294

186

ИА.

Лит.: Сулейманов, Исамиддинов, Сабиров, Нефедов, 1975, с. 513–514.

296. Голова. Фрагмент скульптуры.
Глина, обжиг. Раскраска красной, черной и белой красками на светло-бежевом фоне лица.
В. 18.
На лбу и щеке солярные знаки красной краской. Изображение божества (?).
Восточный храм.
III–IV вв. н. э.
МИКИНУ, А-466-6.
Лит.: Археология СССР, 1985, с. 291, табл. CXXXVII, 7.

296

297. Фриз. Фрагмент.
Глина, обжиг. Штамп.
В. 19,5. Дл. 25.
Изображение мужских лиц с коронами и клинообразными бородами.
Цитадель. IV–V вв. н. э.
МИКИНУ, А-466-1.
Лит.: Археология СССР, 1985, с. 291, табл. CXXXVII, 6; Сулейманов и др., 1977, с. 545.

298. Настенная живопись. Фрагмент.
Ганчевая грунтовка, полихромная роспись.
71 × 63,5.
Мужская голова, вокруг – нимб.
Храм. III в. н. э.
МИКИНУ, А-466-4.
Лит.: Сулейманов, Нефедов, 1979, с. 49–56, рис. 1.

298. Mural. Fragment.
Stucco priming, polychromatic painting.
71 × 63.5.
Male head in a halo.
Temple. 3rd c. A. D.
MHCAPU, A-466-4.
Lit.: Suleimanov, Nefedov, 1979, pp. 49–56, Fig. 1.

AI.

Lit.: Suleimanov, Isamiddinov, Sabirov, Nefedov, 1975, pp. 513–514.

296. Head. Fragment of a sculpture.
Clay, kilning. Painting in red, black and white on light-beige face.
H. 18.
Solar symbols on forehead and cheeks. Deity (?).
Oriental temple.
3rd–4th cc. A. D.
MHCAPU, A-466-6.
Lit.: Archeology in the USSR, 1985, p. 291, table CXXXVII, 7.

297. Frieze. Fragment.
Clay, kilning. Stamping.
H. 19.5. L. 25.
Male faces with crowns and wedge-shaped beards.
Citadel. 4th–5th cc. A. D.
MHCAPU, A-4661-1.
Lit.: Archeology in the USSR, p. 291, table CXXXVII, 6.
Suleimanov et al., 1977, p. 545.

298

ЧАЧ

Чачстан – в персидско-согдийских источниках, Шаш – в арабской литературе, Ши, Чжеши – у китайцев – так называлось древнее средневековое государство, занимавшее бассейн Средней Сырдарьи, ядром которого был Ташкентский оазис.

В легендах и мифах он включался в Туран-страну Хосрова и Афрасиаба, название его связывалось с авестийским озером Чаечаста на родине могучих сакских племен туров, живших „за хребтом Кангха" или Кангюя, в состав которого входил Чач.

В первые века до н. э. Чач, как малое владение, входил в состав полукочевого государства Кангюй. В качестве самостоятельного государства он впервые назван в 262 г. н. э. в сасанидской надписи наскальной стеллы – Каабы Зороастра.

Первая столица Чача, отождествляемая с городищем Канка, была основана на реке Яксарт – Иоша (Сырдарья).

Проявлением самостоятельности Чача стал местный монетный чекан, начавшийся во II–III или III–IV веках н. э., когда здесь выпускаются бронзовые скифатные (вогнутые) монеты. На лицевой их стороне изображена голова правителя с волосами, подхваченными диадемой. На оборотной стороне помещена тамга в окружении согдийской надписи из трех слов: имени, титула и названия области (такой-то, правитель Чача). Выпуск этих монет продолжался вплоть до V–VI веков.

CHACH

An ancient and medieval state which lay in the middle flow of the Syrdarya River, centred around the Tashkent oasis. Mentioned as Chachstan in Persian and Soghdian documents, as Shash-in Arab manuscripts, as Shi and Je-Shi – in Chinese written sources.

In legands and myths it was regarded as part of the Turan-country of Khosrov and Afrasiab, and its name was associated with Avestan Lake Chaechasta which lay in the native lands of a powerful Saka tribe of Turs, who lived behind the "mountain ridge of Kangh", or Kangui, of which Chach was a part.

In the first centuries A. D. Chach, as a small principality, was part of a semi-nomadic state of Kangui. As an independent state, it was first mentioned in 262 A. D. in a Sassanid inscription on the rock stela, the Zoroastrian Kaaba.

The first capital of Chach, associated with the Kanka settlement, was founded on the Yaksart-Iosha River (Syrdarya).

A manifestation of Chach's independence was a local coin mintage started in the 2nd–3rd of 3rd–4th centuries A. D., when bronze scyphate (concave) coins were struck there. Their obverse showed ruler's head with hair tied up with a diadem. The reverse bore a control mark surrounded with a Soghdian legend indicating the name and title of the ruler and the name of the region (so-and-so, ruler of Chach). Such coins were struck till the 5th–6th centuries.

МОНЕТЫ

299. Неизвестный правитель (II–IV вв. н. э.). Изображение головы правителя, лицо с крупными чертами.
Волосы подхвачены надо лбом диадемой и ниспадают вниз вьющимися прядями.
Медь   2,8
МИНУ.

COINS

299. Unidentified ruler (2nd–4th cc. A. D.). Ruler's head, face gross. Hair tied with a diadem and falls down in wavy strands.
Copper.   2.8
MHPU.

299

300. То же, но на оборотной стороне тамга в окружении согдийской надписи.

300. The same, with a control mark surrounded with a Soghdian legend on the reverse.

* * *

301. Чаша.
Глина, обжиг. Лепка. Красный ангоб. Полосчатое лощение.
В. 7. Д. 14,5.
Ташкент, могильник. I в. н. э.
МИНУ, 296/21.

301. Bowl.
Clay, kilning. Modelling. Red engobe. Polished lines.
H. 7. D. 14.5.
Tashkent, burial mounds. 1st c. A. D.
MHPU, 296/21.

301

302. Фляга.
Глина, обжиг. Лепка. Красный ангоб. Полосчатое лощение.
В. 13. Д. 8.
Ташкент, могильник. I в. н. э.
МИНУ, 296/18.

302. Flask.
Clay, kilning. Modelling. Red engobe. Polished lines.
H. 13. D. 8.
Tashkent, burial mound. 1st c. A. D.
MHPU, 296/18.

ФЕРГАНА

Так обычно называют долину Сырдарьи, замкнутую отрогами Тянь-Шаня и протянувшуюся на 300 км при ширине ее до 150 км.

Долина была заселена еще в период каменного века. В эпоху бронзы здесь жили племена с разным хозяйственным укладом – скотоводы и земледельцы. Скотоводы жили преимущественно небольшими группами и только иногда небольшими селениями. Земледельцы основывали более обширные поселения и укрепляли их глинобитными стенами.

Через „Ходжентские ворота" в долину постоянно проникали племена скотоводов из Семиречья, Тянь-Шаня и районов среднего течения Сырдарьи. Часть пришельцев оседала и смешивалась с местным населением.

В китайских источниках первых веков н. э. в связи с Великим шелковым путем упоминается Давань, которую исследователи обычно отождествляют с Ферганой. Географическая изолированность долины, хотя и обусловила особую специфику культуры ее населения, тем не менее близость к магистралям международной торговли определяла возможность и постоянных внешних контактов. Насколько далеко простирались внешние связи Ферганы, дают представление археологические находки, сделанные на ее территории: китайские шелковые ткани и бронзовые зеркала, статуэтка-ручка бронзового индийского зеркала. Долгими торговыми путями сюда, в отдаленную обособленную долину, шли египетские фаянсовые бусы.

В первые века н. э., когда по Средней Азии широко распространяется буддизм (однако так и не пустивший здесь глубоких корней), последний не миновал и Ферганскую долину, о чем свидетельствует открытие здесь буддийской ступы этого времени.

Фергана славилась своими конями, которых китайские хроники называют потокровными славными лошадьми, происходящими от небесных коней. В китайском искусстве они изображались поджарыми и тонконогими, с узкой головой на вытянутой шее. Такими они предстают и в силуэтном изображении, выбитом на отвесной Араванской скале в самой Фергане.

Отсюда китайцы позаимствовали культуру люцерны. Здесь возделывали рис и пшеницу, занимались виноградарством и виноделием, умели хранить вино по нескольку лет.

И все же Фергана экономически была менее развита, чем Бактрия и Согд.

FERGHANA

This name is usually applied to part of the Syrdarya River basin surrounded with the Tien-Shan mountain spurs. The valley is about 300 km long and up to 150 km wide.

The valley was populated during the Stone Age. During the Bronze Age it was inhabited by both stock-breeding and farming tribes. Stock-breeders lived predominantly in small groups, and only rarely in small settlements. Farming tribes founded larger settlements and fortified them with adobe walls.

Stock-breeding tribes penetrated into the valley through the "Khodjent Gates" from the Valley of Seven Rivers, Tien-Shan and the areas in the middle flow of the Syrdarya River. Part of the newcomers settled down and mixed with the local population.

Chinese documents of the first centuries A. D., dealing with the Great Silk Road, mention Davang, associated by researchers with Ferghana. Though geographical isolation of the valley had a specific impact on local culture, its proximity to international trade routes made regular external contacts possible. Archeological objects found on the territory of Ferghana, including Chinese-made silk fabrics and bronze mirrors, and the handle of an India-made bronze mirror in the shape of a statuette, give us an idea of how far its external contacts extended. Egyptian-made faience beads had also travelled a long way before they reached this remote and isolated valley.

When Buddhism spread widely in Central Asia in the first centuries A. D. (though it did not strike deep root here), it also engulfed the Ferghana Valley, which is proved by the discovery of a Buddhist Stupa of that time.

Ferghana was famous for its horses, described in Chinese chronicles as descendants of celestial horses. In Chinese art they were portrayed with lean bodies, thin legs and narrow heads of long necks. In the same way they were struck on the vertical Aravan Rock in Ferghana.

From the Ferghana Valley Chinese borrowed such a crop as alfalfa. Ferghana farmers grew rice and wheat, were experienced in viticulture and wine-making, and knew secrets of keeping wine in good conditions for several years running.

Yet, Ferghana was less developed economically than Bactria and Soghdiana.

303. Серьги (пара).
Золото. Ковка.
Могильник   Кашкарчи.
Вторая четв. I тыс. до н. э.

ФОКМ, $\dfrac{7619}{\text{А-169/11}}$.

Лит.: Иванов, 1988, с. 46,
рис. 1, 5–6.

304. Серьга.
Золото. Ковка.
Могильник   Кашкарчи.
Вторая четв. I тыс. до н. э.

ФОКМ, $\dfrac{7619}{\text{А-169/12}}$.

303. Ear-rings (couple).
Gold. Forging.
Kashkarchi burial mound.
2nd quarter of the 1st mil.
B. C.

FRMLL, $\dfrac{7619}{\text{А-169/11}}$.

Lit.: Ivanov, 1988, p. 46,
Fig. 1, 5–6.

304. Ear-ring.
Gold. Forging.
Kashkarchi burial mound.
2nd quarter of the 1st mil.
B. C.

FRMLL, $\dfrac{7619}{\text{А-169/12}}$.

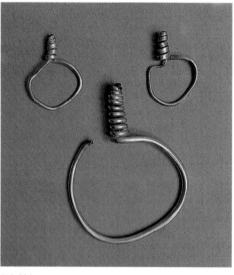

303, 304

305. Сосуд   баночной
формы.
Глина, обжиг, формовка
на гончарном круге. Рос-
пись красной ангобной
краской.
40 × 20.
Орнамент   растительно-
геометрический.
Гайраттепа. I–III вв. н. э.
АОКМ, 462.
Лит.: Козенкова,   1964,
с. 231, рис. 5, 10.

305. Vessel shaped like
a jar.
Clay, kilning, moulding on
the potter's wheel. Red engobe.
40 × 20.
Vegetable and geometric
patterns.
Gairattepa.   1st–3rd   cc.
A. D.
ARMLL, 462.
Lit.:   Kozenkova,   1964,
p. 231, Fig. 5, 10.

305

ХОРЕЗМ

Древнехорезмийская культурная общность сформировалась в VII–VI веках до н. э. на основе местного сако-массагетского населения под мощным воздействием южных земледельческих цивилизаций. Столица левобережного Хорезма VI–V веков до н. э. – крупная крепость с дворцовым зданием в центре – городище Кюзелигыр. Самые ранние памятники изобразительного искусства, найденные в Хорезме (не считая немногих статуэток эпохи бронзы), выполнены в скифо-сибирском зверином стиле. В последней трети VI века до н. э. Хорезм был покорен персами и втянут в систему культурных связей Ахеменидской империи. В конце V или в начале IV века до н. э. он был выделен в отдельную сатрапию, с чем связано строительство новой резиденции – огромной крепости с монументальным дворцом – городище Калалыгыр I. Здесь были обнаружены наиболее ранние памятники монументального искусства: настенная роспись и алебастровая форма для отливки головы грифона, напоминающая грифонов с капителей колонн из священной столицы Ахеменидов – Персеполя. Эту иранскую традицию продолжает каменная капитель из Султануиздага, относящаяся к началу нашей эры. Вскоре, как можно судить по античным источникам, Хорезм вышел из-под контроля Ахеменидов. Калалыгыр I оставили, не успев достроить. В 328 г. до н. э. в Самарканд, столицу Согда, где расположилось греко-македонское войско, пришел Фарасман, царь Хорезма, и предложил свою поддержку Александру в случае, если тот соберется идти на северо-запад. Александр отказался от помощи, говоря, что мысли его заняты теперь Индией: „покорив ее, он овладеет всей Азией …"

Фактическая независимость Хорезма в значительной степени определила его дальнейшую культурную историю. Не будучи включенным в состав эллинистических империй, Хорезм стал своеобразным заповедником древневосточных традиций в Средней Азии. Культура Хорезма IV–III веков до н. э., представленная на выставке материалами уникального памятника – Койкрылганкалы, отличается сочетанием древневосточных традиций с ярко выраженными местными чертами. Первые представлены на выставке терракотовыми статуэтками, а вторые – флягами со штампованными изображениями и статуарными оссуариями. Во II веке до н. э. Хорезм подвергся военному разгрому. На большинстве памятников этого времени обнаружены следы мощных пожаров. Несомненно, это следы бурных событий, связанных с движением степных племен, которые уничтожили Греко-Бактрию и поставили на край гибели Парфию. Хорезмская культура сохраняет после разгрома часть своих традиций, но заметно варваризуется и тускнеет. Однако тогда же начинается Хорезмийский монетный чекан, первоначально, правда, подражательный, но все же свидетельствующий о дальнейшем социально-экономическом развитии общества. В культуру Хорезма через посредство других среднеазиатских государств начинают проникать эллинистические влияния. Это хорошо видно на примере комплекса городища Гяуркала, где была найдена скульптурная голова эллинистического типа.

В первых веках нашей эры была освоена максимальная за всю историю Хорезма площадь орошаемых земель, наладился регулярный монетный чекан. В первой половине I века н. э. устанавливается новое летосчисление, которого хорезмийцы придерживались в течение восьми веков. Не позднее II века н. э. началось строительство нового династического центра Топраккала. Блестящий расцвет культуры древнего Хорезма был прерван около IV века н. э. какими-то событиями, в которых исследователи видят и внутреннюю смуту, и вторжение кочевников.

KHOREZM

The ancient Khorezmian cultural community took shape in the 7th–6th centuries B. C. on the basis of the local Sako-Massagetan population under a powerful influence of southern farming civilizations. The capital of the left-bank Khorezm in the 6th–5th centuries B. C. was a large fortress with a palace in the centre, called Kuzelighyr. Except a few statuettes of the Bronze Age, the earliest monuments of fine arts found in Khorezm were executed in the Scytho-Siberian animal style. In the last quarter of the 6th century B. C. Khorezm was conquered by Persians and drawn into the system of cultural contacts of the Akhemenid Empire. In the late 5th or the early 6th centuries B. C. it was transformed into an independent satrapy. A new residence – a powerful fortress with a monumental palace called Kalalyghyr I – was built in this connection. It was there that the earliest monuments of the monumental art were found, including a mural and an alebaster mould for casting gryphon heads, which resembled gryphons on column capitals in Persepolis, the ancient capital city of the Akhemenids. This Iranian tradition was also manifested in the stone capital from Sultanizdag, dating back to the beginning of our era. Judging from antic written sources, Khorezm soon fell out the Akhemenid control. The construction of Kalalyghyr was dropped halfway. In 328 B. C. Pharasman, King of Khorezm, came to Samarkand where Greco-Macedonian troops were then stationed, and offered his support to Alexander the Great in case the latter wanted to go to the north-west. Alexander refused his helped saying that he was preoccupied with India: "…after conquering it he will be the ruler of all Asia…"

Khorezm's independence determined to a great extent its further cultural history. As it was never part of Hellenistic empires, Khorezm became a kind of a preserve of ancient Oriental traditions in Central Asia. Khorezmian culture of the 4th–3rd centuries B. C., represented at the exhibition by materials on a unique monument, Koikrylgankala, is noted for a blending of ancient Oriental traditions and pronounced local features. The former are represented by terracotta statuettes, and the latter – by flasks with stamped images and statuary ossuaries. In the 2nd century B. C. Khorezm was devastated. Most monuments of that time bear traces of fires. That was undoubtedly connected with the movement of steppeland tribes which

destroyed Greco-Bactria and brought Parthia to the verge of ruin. Afterwards Khorezmian culture retained some of its traditions, but it was noticeably affected by barbaric influence and lost its magnificence. However, that was the time when coin mintage started in Khorezm. And although it was a debasement, it testified to the further socio-economic development of society. Hellenistic influence started to penetrate into Khorezmian culture through other Central Asian states. This is proved by a sculptured head of the Hellenistic type found on the Ghiaurkala settlement site.

In the first centuries B. C. the largest ever area of land was brought under irrigation in Khorezm and coin mintage became regular. In the first half of the 1st century A. D., Khorezmians introduced a new calendar to which they stuck for eight centuries. The construction of a new dynasty centre Toprakkala began not later than the 2nd century A. D. The flourishing of ancient Khorezmian culture was interruped about the 4th century A. D. by some unknown events, which researchers interpret both as internal disturbances and the invasion of nomads.

МОНЕТЫ

306. Анонимный подражательный чекан. I в. до н. э. (?).
Бюст царя вправо/деградировавшее изображение скачущих диоскуров и имитация греческой легенды; слева в поле – хорезмийская тамга.
Серебро.   13,6
Эта монета демонстрирует первый этап сложения собственно хорезмийского монетного типа: оборотная сторона еще представляет собой подражание монетам греко-бактрийского царя Евкратида, а на лицевой стороне портрет уже заменен бюстом царя в тиаре с изображением птицы.
МИКИНУ, 8862.
Лит.: Вайнберг, 1962, с. 126.

COINS

306. Anonymous debasement stamp. 1st c. B. C. (?).
King bust right/degraded image of the Dioscuri and imitation of Greek legend; on left field – a Khorezmian control mark.
Silver.   13.6
The coin represents the first stage in the formation of Khorezmian coin type: the reverse is still an imitation of coins of Greco-Bactrian King Eucratides, but on the obverse the king's image was already substituted with a king's bust wearing tiara with a representation of a bird.
MHCAPU, 8862.
Lit.: Vainberg, 1962, p. 126.

306

307. Царь Артав. I–II вв. н. э. (?).
Бюст правителя вправо/всадник вправо, имита-
ция греческой легенды полукругом и хорезмий-
ская легенда под ногами коня.
Серебро.   10,5
На этои монете мы видим уже новыи тип оборот-
нои стороны, в будущем ставшии для Хорезма
традиционным Об эллинистическом прототипе
напоминают только остатки греческой легенды
Топраккала.
МИКИНУ, 11669.
Лит.: Вайнберг, 1977, с. 106, № 7.

307. King Artav. 1st–2nd cc. A. D. (?).
Ruler's bust right/horseman right, imitations of Greek
legend in semi-circle and Khorezmian legend beneath
the horse's legs.
Silver.   10.5
The reverse is of a new type which became traditional
for Khorezm later. Remnants of Greek legend remind
of the Hellenistic prototype.
Toprakkala.
MHCAPU, 11669
Lit.: Vainberg, 1977, p. 109, No. 7.

307

308. Царь Вазамар. III–IV вв. н. э.
Всадник вправо/„бегущая" свастика.
Медь.   3,38
Как предполагается, выпуск медных монет в Хо-
резме начался раньше, однако по-настоящему
обильным медный чекан становится в конце III–
IV в н э при царе Вазамаре
МИНУ, Н $\frac{135}{36}$.

Лит : Вайнберг, 1977, с. 107, № 68.

308. King Wazamar. 3rd–4th cc. A. D.
Horseman right/"running" swastika.
Copper.   3.38
Supposedly, coin mintage had begun in Khorezm
earlier, but it assumed a mass scale at the end of the
3rd–4th cc. A. D. under King Wazamar.
MHPU, H $\frac{135}{36}$.

Lit.: Vainberg, 1977, p. 107, No. 68.

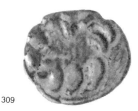

309

309. Голова правителя вправо/„бегущая" сва-
стика.
Медь.   1,68
МИКИНУ, 11671.
Лит.: Вайнберг, 1977, с. 111, № 125.

309. Ruler's head right/"running" swastika.
Copper.   1.68
MHCAPU, 11671.
Lit.: Vainberg, 1977, p. 111, No. 125.

310. Хорезмийская легенда/„бегущая" свастика.
Медь. 1,98
МИКИНУ, 11672.
Лит.: Вайнберг, 1977, с. 110, № 162.

310. Khorezmian legend/"running" swastika.
Copper. 1.98
MHCAPU, 11672.
Lit.: Vainberg, 1977, p. 110, No. 162.

311. Бюст правителя вправо/тамга в окружении хорезмийской легенды.
Медь. 3,24

МИНУ, H $\frac{136}{61}$.

Лит.: Вайнберг, 1977, с. 114, № 179.

311

311. Ruler's bust right/ control mark surrounded by Khorezmian legend.
Copper. 3.24

MHPU, H $\frac{136}{61}$.

Lit.: Vainberg, 1977, p. 114, No. 179.

* * *

312. Капитель.
Камень. Сверление, заточка, резьба, полировка. 97,5 × 40,5 × 24,5.
Изображение мифического существа (Гопатшах) с поджатыми под себя ногами, черты схематизированы: глаза намечены едва прочерченными линиями, острые края подбородка передают бороду. Голова уплощена, массивные рога загнуты вниз с торчащими вперед концами.
Султануиздаг. IV в. (?).
ГМИК, б/н.

312. Capital.
Stone. Drilling, chiselling, carving, polishing.
97.5 × 40.5 × 24.5.
Representation of a mythical creature (gopatshakh), sitting cross-legged. Features schematic: eyes slightly outlined, sharp edges of the chin symbolize the beard. Head flattened, massive horns bent forward.
Sultanuizdag. 4th c. (?).
SMHK, w/n.

312

313. Перстень.
Серебро, сердолик. Литье, инкрустация.
2,1 × 0,2.
Оправа овальной формы, изображение дельфина.
Кавадкала, случайная находка. I—II вв. н. э.
ГМИК, КП-3559.

314. Серьга.
Золото, сердолик. Литье, ковка, инкрустация,
пайка, зернение.
2,8 × 1,7.
Верхняя часть полусферической формы с кресто-
видной напайкой, оправленной камнями. Зернь
следует по окружности основания и напайки. Ниже
Ниже – подвески пирамидальной формы.
Миздахкан, погребение. III в. н. э.
ГМИК, КП-40926.

315. Шпилька.
Бронза. Литье.
12,6 × 0,4.
Навершие в виде кисти, украшенной браслетом-
змеевиком.
Большой, указательный и средний пальцы дер-
жат шарик, остальные сжаты.
Кавадкалинский оазис. I—II вв. н. э.
ГМИК, КП-3771.

313. Signet-ring.
Silver, cornelian. Casting, inlay.
2.1 × 0.2.
Oval setting, representation of a dolfin.
Kavadkala, found by accident. 1st—2nd cc. A. D.
SMHK, KP-3559.

314. Ear-ring.
Gold, cornelian. Casting, forging, inlay, soldering,
graining.
2.8 × 1.7.
Top part is semispherical, with a cross soldered onto it
and set with gems. Graining along the circumference
of the foundation and the line of soldering. Below-
pyramidal pendants.
Mizdahkan, burial. 3rd c. A. D.
SMHK, КП-40926.

315. Pin.
Bronze. Casting.
12.6 × 0.4.
Top part hand-shaped and decorated with a snake-
shaped bracelet. The thumb, the forefinger and the
middle finger hold a ball, the other fingers pressed together.
Kavadkala oasis. 1st—2nd cc. A. D.
SMHK, КП-3771.

314, 315, 313

316. Статуэтка.
Глина, обжиг. Оттиск в матрице. Темно-красный ангоб.
14,2 × 3.
Стоящая женская фигура в длинном кафтане поверх нижнего платья.
Базаркала. III—II вв. до н. э.
ИЭ, 78Б-к-П/И-95.

316

316. Statuette.
Clay, kilning. Stamping in a die. Dark-red engobe.
14.2 × 3.
Standing woman dressed in a tunic over an underdress.
Bazarkala. 3rd—2nd cc. B. C.
IE, 78 B-к-П/И-95.

317. Статуэтка. Фрагментирована.
Глина, обжиг. Оттиск в матрице.
12 × 5,5.
Персонаж дионисийского круга с виноградной гроздью в левой и виноградарным ножом в правой руке.
Джанбаскала. I—III вв. н. э.
ИЭ, 54Дж-к/1.

317

317. Statuette. Fragments.
Clay, kilning. Stamping in a die.
12 × 5.5.
Character from Dianysus' circle holding a bunch of grapes in left hand and a vine-cutting knife in right.
Djanbaskala. 1st—3rd cc. A. D.
IE, 54ДЖ-к/1.

318. Скульптура.
Глина, алебастр. Лепка.
38 × 21 × 22.
Голова воина в коническом шлеме.
Гяуркала Султануиздагская. I—II вв. н. э.
ГМИНВ, 7258, III.
Лит.: ТХАЭЭ, 1956, с. 365.

318. Sculpture.
Clay, alebaster. Modelling.
38 × 21 × 22.
Warrior's head in a conic helmet.
Gyaurkala Sultanuizdag. 1st—2nd ss. A. D.
SMHEP, 7258, III.
Lit.: WKAEE, 1956, p. 365.

318

КОЙКРЫЛГАНКАЛА

Развалины храма-мавзолея IV—III веков до н. э. Центральное здание Койкрылганкалы представляло собой двухэтажную круглую башню диаметром 45 и высотой около 10 м. Ее первый этаж был разделен на два изолированных комплекса сводчатых помещений, в которые можно было попасть только с верхнего этажа. Лестницы, ведущие в один из комплексов, были замурованы сразу после окончания строительства. Есть основания полагать, что здесь в темной северной комнате был похоронен царь. Восточная часть здания и помещения второго этажа использовались для совершения обрядов и хранения предметов заупокойного культа. Полагают, что из башнеобразного мавзолея вели наблюдения за небесными светилами. На расстоянии 15 м от центрального здания по кругу располагалась крепостная стена. Пространство между ними застраивалось различными помещениями подсобного назначения. Во II веке до н. э. памятник погиб от пожара и был разграблен, руины его многократно перекапывались. Однако часть инвентаря, рухнувшая со второго этажа вместе со сводами, уцелела. После периода запустения жизнь на развалинах возобновилась, но это было уже рядовое поселение, просуществовавшее до II века н. э.

KOIKRYLGANKALA

Ruins of a temple-and-mausoleum of the 4th—3rd centuries B. C. The central building in Koikrylgankala was a two-storey round tower 45 m in diametre and about 10 m high. The ground floor was divided into two isolated complexes of vaulted rooms, access to which was only from the top floor. The staircases leading into one of the complexes were bricked up right after the construction was finished. There are grounds to suppose that a king was buried in the dark northern room. The eastern part of the top floor of the building was used for performing rites and storing objects used in the service for the repose of the soul. Supposedly, the tower-shaped mausoleum was used for astronomic observation. A fortress wall ran around the central building at a distance of 15 m. The space between them contained auxiliary buildings. In the 2nd century the monument was burnt and looted and its ruins were digged many times. However, part of the objects stored on the upper floor, fell down when the building collapsed, and survived. After a period of neglect, life resumed on the ruins, but it was only an ordinary settlement which existed till the 2nd century A. D.

319. Фляга. Фрагмент. Глина, обжиг. Формовка на гончарном круге. Оттиск декора в форме, налеп. Красный ангоб. 13,5 × 10. Рельефное изображение мужчины с флягой через плечо и виноградной гроздью в левой руке. IV—III вв. до н. э. ИЭ, 55Кой-кр-к/275.

319: Flask. Fragment. Clay, kilning. Moulding on the potter's wheel. Decor stamped in a mould and stuck onto the flask. Red engobe. 13.5 × 10. Relief representation of a man with a flask on the shoulder and a bunch of grapes in left hand. 4th—3rd cc. B. C. IE, 55 Koi-kp-k/275.

319

320. Фляга. Фрагмент. Глина, обжиг. Формовка на гончарном круге. Оттиск декора в форме, налеп. Красный ангоб.
17 × 8,3.
Рельефное изображение всадника с копьем наперевес, в остроконечном головном уборе.
III–II вв. до н. э.
ИЭ, 50Кой-кр-к/5.
Лит.: ТХАЭЭ, 1958, с. 176.

320

320. Flask. Fragment. Clay, kilning. Moulding on the potter's wheel. Decor stamped in a mould and stuck onto the flask. Red engobe.
17 × 8.3.
Relief of a horseman holding spear in horizontal position, wearing peaked headdress.
3rd–2nd cc. B. C.
IE, 50 Koi-kp-k/5.
Lit.: WKAEE, 1958, p. 176.

321. Кувшин. Фрагмент. Глина, обжиг. Формовка на гончарном круге. Оттиск штампа, красный ангоб.
22 × 14,5.
Ручка завершается головой льва.
III–II вв. до н. э.
ИЭ, 55Кой-кр-к/187.
Лит.: Кой-Крылган-кала, 1967, рис. 46.

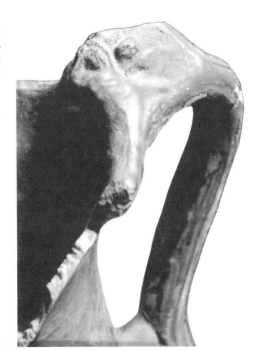

321

321. Jug. Fragment. Clay, kilning. Moulding on the potter's wheel. Stamped, painted with red engobe.
22 × 14.5.
Handle topped with the lion's head.
3rd–2nd cc. B. C.
IE, 55 Koi-kp-k/187.
Lit.: Koi-Krylgan-kala, 1967; Fig. 46.

322. Статуэтка. Фрагмент.

Глина, обжиг. Оттиск в матрице.

8,2 × 7.

Голова персонажа, преклонный возраст которого передан утрированной лепкой лица и глубокими насечками-морщинами.

Окрестности Койкрылганкалы. IV–III вв. до н. э.

ИЭ, 52Кой-кр-к/1а.

Лит.: ТХАЭЭ, 1958, с. 189, рис. 86.

322. Statuette. Fragment.

Clay, kilning. Stamping in die.

8.2 × 7.

Head of a person whose advanced age is conveyed by exaggerated features and deep incisions symbolizing wrinkles.

Environs of Koikrylgankala. 4th–3rd cc. B. C.

IE, 52 Koi-kp-k/1 a.

Lit.: WKAEE, 1958, p. 189, Fig. 86.

322

323. Статуэтка. Фрагментирована.

Глина, обжиг. Оттиск в матрице. Красный ангоб.

11 × 5.

Женское божество в длинном одеянии с накидкой. В правой руке амфоровидный сосуд, в левой – чаша.

IV–III вв. до н. э.

ИЭ, 52Кой-кр-к/32.

323. Statuette. Fragments.

Clay, kilning. Stamping in a die. Red engobe.

11 × 5.

Female deity in a long dress and a cloak, holding an amphora-shaped vessel in right hand and a bowl in left.

4th–3rd cc. B. C.

IE, 52 Koi-kp-k/32.

323

324. Статуэтка.
Глина, обжиг. Оттиск
в матрице. Красный ан-
гоб.
18,5 × 5,5.
Женщина в длинном
одеянии. Правой рукой
придерживает на груди
складки плаща.
IV—III вв. до н. э.
ИЭ, 56Кой-кр-к/1.

324

324. Statuette.
Clay, kilning. Stamping in a
die. Red engobe.
18.5 × 5.5.
Woman in a long garments.
Right hand holding the
cloak on the breast.
4th—3rd cc. B. C.
IE, 56 Koi-kp-k/1.

325. Статуэтка. Фраг-
мент.
Глина, обжиг. Оттиск
в матрице.
4 × 3.
В головном уборе с „трех-
рогой" тульей.
IV—III вв. до н. э.
ИЭ, 56Кой-кр-к/3.

325

325. Statuette. Frag-
ment.
Clay, kilning. Stamping in a
die.
4 × 3.
Wearing headdress with
"three-pointed" crown.
4th—3rd cc. B. C.
IE, 56 Koi-kp-k/3.

326. Статуэтка.
Глина, обжиг. Лепка с последующей доработкой.
10 × 5,4.
Женская фигура с лицом грубой лепки, руки вытянуты в стороны.
II—III вв. н. э.
ИЭ, 57Кой-кр-к/77.
Лит.: Кой-Крылган-кала, 1967, с. 186.

326. Statuette.
Clay. kilning. Modelling with subsequent finishing.
10 × 5.4.
Female figure with gross face, arms stretched out.
2nd—3rd cc. A. D.
IE, 57 Кои-кр-k/77.
Lit.: Koi-krylgan-kala, 1967, p. 186.

326

327. Статуэтка.
Глина, обжиг. Оттиск в матрице. Красный ангоб.
15,7 × 4,8.
Обнаженная богиня, волосы заплетены в косу, на шее — трехрядное ожерелье.
II—III вв. н. э.
ИЭ, 56Кой-кр-к/197.

327. Statuette.
Clay, kilning. Stamping in a die. Red engobe.
15.7 × 4.8.
Nude goddess, hair done in a plait, necklace in three rows.
2nd—3rd cc. A. D.
IE, 56 Koi-kp-k/197.

327

328. Статуэтка.
Глина, обжиг. Оттиск в матрице.
11,8 × 3,5.
Женщина в длинном одеянии. Левая рука опущена, правая – прижата к груди и перекрыта складками плаща или шарфа.
II–III вв. н. э.
ИЭ, 55Кой-кр-к/21.

328

328. Statuette.
Clay, kilning. Stamping in a die.
11.8 × 3.5.
Woman in a long dress. Left hand down, right – pressed to the breast and covered by cloak or scarf.
2nd–3rd cc. A. D.
IE, 55 Koi-kp-k/21.

329. Статуэтка. Фрагментирована.
Глина, обжиг. Оттиск в матрице. Гравировка.
19,5 × 8.
Женщина, сидящая поджав ноги на невысоком подиуме. Складки одежды переданы гравировкой.
II–III вв. н. э.
ИЭ. Кой-кр-к/35.

329

329. Statuette. Fragments.
Clay, kilning. Stamping in a die. Engraving.
19.5 × 8.
Woman sitting cross-legged on a low podium. Folds of dress conveyed by engraving.
2nd–3rd cc. A. D.
IE, Koi-kp-k/35.

330. Статуэтка. Фраг-
ментирована.
Глина, обжиг. Оттиск в
матрице.
10 × 6,7.
Сидящая женщина дер-
жит на коленях ребенка.
II —III вв. н. э.
ИЭ, 55Кой-кр-к/151.

330. Statuette. Frag-
ments.
Clay, kilning. Stamping in a
die 10 × 6.7.
Sitting woman holding an
infant in her lap.
2nd–3rd cc. A. D.
IE, 55 Koi-kp-k/151.

330

331. Статуэтка.
Глина, обжиг. Оттиск
в матрице, последующая
доработка.
10,5 × 4,5.
Сидящая обезьяна при-
жимает к груди детены-
ша, а правой рукой под-
пирает свою голову.
I–III вв. н. э.
ИЭ, 55Кой-кр-к/2.

331. Statuette.
Clay, kilning. Stamping in a
die with subsequent finishing.
10.5 × 4.5.
Sitting monkey clasping the
young, right hand supporting its own head.
1st–3rd cc. A. D.
IE, 55 Koi-kp-k/2.

331

332. Настенная живопись. Фрагмент.
Глиняная основа, ганчевая грунтовка, клеевые краски.
28 × 21.
Лучник. В 1/4 натуральной величины изображен юноша, левая рука, вытянутая на уровне лица, сжимает рукоять лука.
I в. до н. э. – I в. н. э.
ВНИИР.
Лит.: Кой-Крылган-кала, 1967, с. 214.

332. Mural. Fragment.
Clay foundation, stucco priming, size colours.
28 × 21.
Archer. One fourth of natural size, left hand clasping bow at face level.
1st c. B. C. – 1st c. A. D.
AUSRIR,
Lit.: Koi-Krylgan-kala, 1967, p. 214.

332

333. Погребальная маска.
Глина, обжиг. Лепка. Ганчевая грунтовка, роспись.
17 × 15.
Рот и зрачок прорезаны насквозь. В верхней части отверстие для крепления.
IV–III вв. до н. э.
ИЭ, б/н.
Лит.: Рапопорт, 1971, с. 45, рис. 9.

333

333. Burial mask.
Clay, kilning. Modelling. Stucco priming, painting.
17 – 15.
Mouth and pupil of the eye cut through. In the upper part – an aperture for fastening.
4th – 3rd cc. B. C.
IE, w/n.
Lit.: Rapoport, 1971, p. 45, Fig. 9.

334. Погребальная маска. Фрагмент.
Алебастр. Отливка в форме. Двухцветная роспись.
24 × 15.
Часть лица бородатого мужчины.
Кангагыркала. III–IV вв. н. э.
ИЭ, 55Кан/51.
Лит.: Рапопорт, 1971, рис. 39.

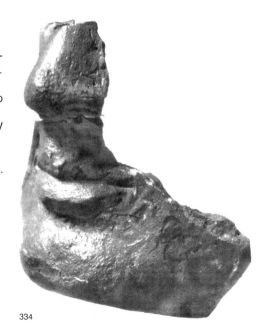

334

334. Burial mask. Fragment.
Alebaster. Cast in a mould. Two-coloured painting.
24 × 15.
Part of a face of a bearded man.
Kangagyrkala. 3rd – 4th cc. A. D.
IE, 55Кан/51.
Lit.: Rapoport, 1971, Fig. 39.

ТОПРАККАЛА

Комплекс сооружений – династический центр царей Хорезма конца II–III веков н. э. построен одновременно и по единому плану. Он состоит из укрепленного города с цитаделью, где расположен храм огня, дворца на высокой платформе, загородного дворцово-храмового ансамбля и огромного незастроенного пространства, обведенного высоким валом и предназначенного, видимо, для сбора войск и многолюдных празднеств. Площадь, занятая дворцами и храмами, превышает площадь жилых кварталов.

В архитектуре Топраккалы доминируют древневосточные традиции. Многие залы высокого дворца были украшены глиняной раскрашенной скульптурой . В одном из залов, своего рода пантеоне, на возвышении, идущем вдоль стен, было установлено свыше 20 раскрашенных сидящих статуй, возле которых располагались более мелкие изображения второстепенных персонажей.

Стены другого зала украшали барельефные изображения танцующих пар в масках. Еще в трех залах барельефы передавали триумфальные и инвеститурные сцены, изображали грифонов и оленей. Зооморфные изображения сохранили следы „степной" сакской стилистики, однако большинство барельефов выполнено в традициях эллинистического искусства. Почти все комнаты высокого дворца и многие в загородном комплексе были расписаны. Наряду с разнообразными орнаментами здесь были представлены изображения божеств, царей, воинов, музыкантов, придворных дам, а также зверей и птиц. Сюжетные композиции, как правило, размещались в нишах или живописных рамах. В стилистическом отношении часть росписей выполнена в древневосточной технике раскрашенного рисунка, другие, передающие светотень и сложные ракурсы, явно созданы под эллинистическим воздействием.

TOPRAKKALA

The dynastic centre of Khorezmian kings of the late 2nd–3rd centuries A. D., built simultaneously and according to a single master plan. It consisted of a fortified city with a citadel, where a temple of fire-worship and a palace on a high platform were situated, a suburban palace-and-temple complex and a large vacant plot surrounded with a high rampart probably used for assemblying troops and holding mass festivities. The area under palaces and temples is larger than the area under residential neighbourhoods.

The architecture of Toprakkala is dominated by ancient Oriental traditions. Many halls in the high palace were decorated with painted clay sculptures. In one hall, a kind of a pantheon, over 20 painted seated statues stood on the platform that ran along the walls, with smaller statues of secondary characters placed near them. The walls in another hall were decorated with low-relief representations of dancing pairs in masks. In three other halls, low reliefs pictured triumphal and investiture scenes and bore images of gryphons and deer. Zoomorphous representations retained traces of the steppeland stylistics of the Saka tribes, but most low reliefs were executed in traditions of Hellenistic arts. Almost all the rooms in the high palace and the suburban complex were painted. Along with diverse ornaments, there were images of deities, kings, warriors, musicians, ladies of the court, animals and birds. As a rule, topical compositions were painted in niches or surrounded with painted frames. In stylistic respect, some of the paintings were executed in the ancient Oriental technique of coloured drawings, others, conveying chiaroscuro and complex foreshortenings, were obviously created under Hellenistic influence.

335. Настенная живопись. Фрагмент.
Глиняная основа, ганчевая грунтовка, клеевые краски.
26 × 16.
Орнаментальный пояс — крупная восьмилепестковая оранжевая розетта на черном фоне. Ветка с мелкими листьями и красный кружок на белом фоне от второй орнаментальной полосы.
Северный комплекс. II–III вв. н. э.
ВНИИР, б/н.

336. Настенная живопись. Фрагмент.
Глиняная основа, ганчевая грунтовка, клеевые краски.
95 × 14.
Орнаментальный пояс. Черная полоса, ограниченная двумя красными.
На черном — чередующиеся белые перлы и кружки.
Северный комплекс, здание 1. II–III вв. н. э.
ВНИИР, б/н.

335. Mural. Fragment.
Clay foundation, stucco priming, size colours.
26 × 16.
Ornamental frame – large eight-petal orange rosette on black background. A twig with small leaves and a red circle on the white background — remnants of the second ornamental belt.
Northern complex. 2nd–3rd cc. A. D.
AUSRIR, w/n.

336. Mural. Fragment.
Clay foundation, stucco priming, size colours.
95 × 14.
Ornamental frame. Black stripe bordered with two red ones. White pearls and circles alternating on the black background.
Norther complex, structure 1. 2nd–3rd cc. A. D.
AUSRIR, w/n.

337. Настенная живопись. Фрагмент.
Глиняная основа, ганчевая грунтовка, клеевые краски.
23 × 10.
Голубовато-серый трехлепестковый цветок лилии со светло-розовой сердцевиной на розовом фоне в черном контуре.
Северный комплекс, здание 7. II–III вв. н. э.
ВНИИР, б/н.

337. Mural. Fragment.
Clay foundation, stucco priming, size paints.
23 × 10.
Bluish-grey three-petal lily with a light-pink heart on the pink background in a black contour.
Norther complex, structure 7. 2nd–3rd cc. A. D.
AUSRIR, w/n.

337

338. Настенная живопись. Фрагмент.
Глиняная основа, ганчевая грунтовка, клеевые краски.
151 × 138.
Часть композиции с плачущими женщинами. Роспись рухнула из ниши, имевшей ширину 2,2 м и, очевидно, перекрытой сводом примерно той же высоты. На невысоком подиуме, сторона которого разделена на различно орнаментированные квадраты, поставлен какой-то предмет, укрытый зеленой тканью с желтыми кружками. Открытым оставлен лишь небольшой участок, в орнаментации которого использован мотив „бегущей волны". Возможно, это крышка саркофага. Подле подиума и саркофага (?) располагались женские фигуры, выполненные примерно в натуральную величину. На первом плане — сидящая женщина с распущенными волосами, царапающая щеку. На третьем плане одна из женщин, волосы которой убраны в несколько косичек, в скорби вскинула руки. Другая, склонив голову, прижимает ладонь к лицу. Второй рукой она, судя по направлению складок, удерживала покров. Другие плакальщицы, которых было пять или шесть, сохранились лишь в мелких фрагментах. Реставрация Н. А. Ковалевой.
Загородный дворцово-храмовый комплекс. II—III вв. н. э.
ВНИИР, б/н.

338. Mural. Fragment.
Clay foundation, stucco priming, size colours.
151 × 138.
Part of a composition picturing crying women. The mural fell down from the walls of a niche 2.2 m wide, possibly spanned with an arch about the same height. On a low podium, with a side divided into ornamented squares, is placed an object covered with green fabric with yellow circles. A small fragment of it, ornamented with the "running wave", is left open. Possibly, it is the top of a sarcophagus. Near the podium and the sarcophagus (?) are life-size figures of women. The foreground shows a woman seated scratching her cheek. The background shows a woman with her hair done in several plaits, raising her arms in sorrow. Another woman presses her palm to her face, her head bent. Judging from the position, of the folds of the coverlet, she holds it with her other hand. Other mourners, five or six, have survived only in small fragments. Restoration done by N. A. Kovaleva.
Suburban palace-and-temple complex. 2nd—3rd cc. A. D.
AUSRIR, w/n.

338

339. Настенная живопись. Фрагменты.
Глиняная основа, ганчевая грунтовка, клеевые краски. Лицевая сторона и отпечаток средней части.
50 × 45 и 25 × 35.
Значительная часть изображения сохранилась лишь в отпечатке на глине, перекрывшей рухнувшую роспись. С нескольким превышением натуральной величины изображена женщина со спины. В правой руке – гирлянда. На оплечье и рукаве – орнамент-вышивка. На втором плане – вертикальные линии, возможно, сохранились от изображения высокого алтаря, к которому подносят гирлянду. Реставрация Н. А. Ковалевой.
Загородный дворцово-храмовый комплекс. II–III вв. н. э.
ВНИИР, б/н.

340. Настенная живопись. Фрагмент.
Глиняная основа, ганчевая грунтовка, клеевые краски.
21 × 16,5.

339. Mural. Fragment.
Clay foundation, stucco priming, size paints. Top part and the imprint of the middle part.
50 × 45 and 25 × 35.
A considerable part of the mural has survived only as an imprint on the clay on which the mural fell. It shows the back of a woman slightly larger than life-size. A garland in the right hand. An ornament representing an embroidery – on the shoulder and the sleve of the garment. In the background are vertical lines, possibly remnants of a representation of a high altar toward which the garland was being brought. Restoration done by N. A. Kovaleva.
Suburban palace-and-temple complex. 2nd–3rd cc. A. D.
AUSRIR, w/n.

340. Mural. Fragment.
Clay foundation, stucco priming, size colours.
21 × 16.5.

340

Профильное изображение мужской головы в нимбе.
Дворец. II–IV вв. н. э.
ИЭ, б/н.
Лит.: Топрак-кала, 1984, с. 198, р. 83.

Profile of a male head in a halo.
Palace. 2nd–4th cc. A. D.
IE, w/n.
Lit.: Toprak-kala, 1984, p. 198, Fig. 83.

341. Настенная живо-
пись. Фрагмент.
Глиняная основа, ганче-
вая грунтовка, полихром-
ная роспись клеевыми
красками.
15,5 × 11,5.
Часть фигуры в красной
одежде.
Дворец. II–IV вв. н. э.
ИЭ, б/н.
Лит.: Топрак-кала, 1984,
с. 198.

341

341. Mural. Fragment.
Clay foundation, stucco
priming, polychromatic size
colours.
15.5 × 11.5.
Part of a figure in red garments.
Palace. 2nd–4th cc. A. D.
IE, w/n.
Lit.: Toprak-kala, 1984,
p. 198.

342. Скульптура. Фрагмент.
Глина. Лепка. Полихромная роспись.
16 × 12.
Голова божества в шлеме.
Дворец. II–III вв. н. э.
ВНИИР, б/н.

342. Sculpture. Fragment.
Clay. Modelling. Polychromatic painting.
16 × 12.
Head of a deity in helmet.
Palace. 2nd–3rd cc. A. D.
AUSRIR, w/n.

343. Скульптура.
Фрагмент.
Алебастр. Отливка в фор-
ме.
27 × 29 × 25.
Голова божества в шле-
ме.
Дворец. II–IV вв. н. э.
ИЭ, б/н.
Лит.: Топрак-кала, 1984,
с. 154, рис. 71.

343

343. Sculpture. Frag-
ment.
Alebaster. Cast in a mould.
27 × 29 × 25.
Head of a deity in helmet.
Palace. 2nd–4th cc. A. D.
IE, w/n.
Lit.: Toprak-kala, 1984, p.
154, Fig. 71.

344. Скульптура. Фрагмент.
Глина. Лепка. Раскраска.
33 × 15 × 10.
Фигура в складчатом одеянии.
Дворец. II–IV вв. н.э.
ИЭ, б/н.
Лит.: Топрак-кала, 1984.
с. 58, рис. 26.

344. Sculpture. Fragment.
Clay. Modelling. Painting.
33 × 15 × 10.
Figure wearing garment in folds.
Palace. 2nd–4th cc. A. D.
IE, w/n.
Lit.: Toprak-kala, 1984, p. 58. Fig. 26.

344

345. Скульптура. Фрагмент.
Глина. Лепка. Ганчевая грунтовка, раскраска.
32 × 20.
Женский торс.
Дворец. II–IV вв. н. э.
ИЭ, б/н.
Лит.: Топрак-кала, 1984, с. 77, рис. 38.

345. Sculpture. Fragment.
Clay. Modelling. Stucco priming, painting.
32 × 30.
Female torso.
Palace. 2nd–4th cc. A. D.
IE, w/n.
Lit.: Toprak-kala, 1984, p. 77, Fig. 38.

345

346. Скульптура. Фрагмент.
Глина. Лепка. Раскраска.
16,5 × 14 × 3,5.
Торс бородатого воина в чешуйчатом панцире.
Дворец. II—IV вв. н. э.
ИЭ, б/н.
Лит.: Топрак-кала, 1984, с. 63, рис. 29.

346. Sculpture. Fragment.
Clay. Modelling. Painting.
16.5 × 14 × 3.5.
Torso of a bearded warrior wearing scaly armour.
Palace. 2nd—4th cc. A. D.
IE, w/n.
Lit.: Toprak-kala, 1984, p. 63, Fig 29.

346

347

347. Форма для отлив-
ки барельефа. Фрагмент
патрицы.
Камень.
Отливка с патрицы.
Алебастр.
25 × 18 × 8.
Дионисийский персонаж.
Северный комплекс, зда-
ние 1. III—IV вв. н. э.
ИЭ, б/н.

347. Mould for casting a
low relief. Fragment of the
punch.
Stone.
Cast from the punch.
Alebaster.
25 × 18 × 8.
Dionisian character.
Northern complex, struc-
ture 1. 3rd—4th cc. A. D.
IE, w/n.

348

348. Форма для отлив-
ки барельефа. Фрагмент
патрицы.
Камень.
Отливка с патрицы.
Алебастр.
34 × 27 × 10.
Ноги в мягкой обуви.
Дворец. II—IV вв. н. э.
ИЭ, б/н.
Лит.: Топрак-кала, 1984,
с. 200, рис. 84, 6.

348. Mould for casting a
low relief. Fragment of the
punch.
Stone.
Cast from the punch.
Alebaster.
34 × 27 × 10.
Feet in soft shoes.
Palace. 2nd—4th cc. A. D.
IE, w/n.
Lit.: Toprak-kala, 1984,
p. 200, Fig. 84, 6.

349. Форма для отлив-
ки детали архитектурно-
го декора.
Алебастр.
15 × 17.
Лист аканта.
Северный комплекс. III
– IV вв. н. э.
ИЭ, б/н.

349. Mould for casting a
detail of architectural decor.
Alebaster.
15 × 17.
Acanthus leaf.
Northern complex. 3rd – 4th
cc. A. D.
IE, w/n.

349

ОССУАРИИ

В зороастрийских сочинениях предписывается перед погребением очищать кости умершего от мягких тканей. В Хорезме для захоронения очищенных костей с V века до н. э. стали использовать керамические сосуды, а несколько позднее – специальные керамические костехранилища, получившие в научной литературе название оссуариев. Этот обряд погребения просуществовал в Хорезме около 14 веков.

С III века до н. э. известны оссуарии в виде пустотелых статуй. Обычно это женщина или мужчина, сидящие на ящиках различных форм, в которые и складывались кости умерших, либо это фигура – мужчина со скрещенными ногами. Индивидуализированный облик некоторых персонажей позволяет видеть в них портреты умерших. Встречаются статуи всадников на лошадях, известны, кроме того, башнеобразные оссуарии, имитирующие мавзолеи.

Примерно в III веке н. э. статуарные оссуарии исчезают. Захоронения продолжают осуществляться в оссуариях иных форм: саркофагообразных, сводчатых, прямоугольных с фигурками птиц на крышках и пр. В это же время в Хорезме начинает формироваться тип оссуария, который в раннесредневековое время станет одним из наиболее распространенных во всех областях Средней Азии – пямоугольный ящик с четырехскатной крышкой, над которой зачастую крепился балдахин на четырех стойках.

OSSUARIES

Zoroastrian writings prescribed that the bones of the dead be cleared of soft tissues before burying. Starting from the 5th century B. C., Khorezmians began to use ceramic vessels, and somewhat later – special ceramic containers, called "ossuaries" in scientific works. This burial custom existed in Khorezm for about 14 centuries.

Ossuaries shaped like hollow statues came into use in the 3rd century B. C. Usually, those were statues of men or women, seated on boxes of various shapes into which the bones of the dead were deposited, sometimes the statue showed a man sitting cross-legged. Individual features of some of the statues prompt a supposition that they were images of the deceased. There were statues of horsemen, as well as ossuaries in the shape of towers and mausoleums.

In about the 3rd century A. D. ossuaries with statues were dropped from further use. Bones were deposited into sarcophagus-shaped, vaulted and rectangular ossuaries with figurines of bords on their lids. At that time, a new type of ossuaries began to emerge in Khorezm, which became one of the most widespred types in all Central Asia in the Early Middle Ages. They were shaped like rectangular boxes with four-pitched lids, over which canopies were usually fastened on four poles.

350. Оссуарий.
Глина, обжиг. Лепка.
Резьба, красный ангоб.
47 × 38.
Имитирует здание с пи-
лонами, стрельчатыми
бойницами и зубчатым
карнизом.
Поселение близ Джан-
баскалы. I—II вв. н. э.
ГМИНВ, 7261, III.
Лит.: Рапопорт, 1971,
с. 58, рис. 14.

350

350. Ossuaries.
Clay, kilning. Modelling.
Carving. Red engobe.
47 × 38.
Imitates a building with
pylons, lancet arrow-slits
and toothed cornice.
Settlement near Djanbas-
kala. 1st–2nd cc. A. D.
SMHEP, 7261, III.
Lit.: Rapoport, 1971, p. 58,
Fig. 14.

351. Оссуарий. Фраг-
ментирован.
Глина, обжиг. Лепка.
Красный ангоб.
56 × 50 × 30.
В виде женской фигуры
(голова и руки утрачены),
сидящей на ящике,
в длинном складчатом
одеянии. В левом торце
ящика прорезано отвер-
стие 19 × 16, закрываю-
щееся крышкой.
Поселение близ Джан-
баскалы. I—II вв. н. э.
ГМИНВ, 726, III.
Лит.: Рапопорт, 1971,
с. 64, рис. 23.

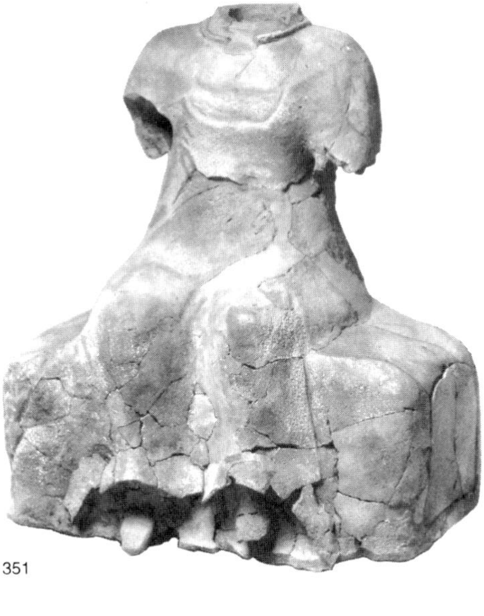

351

351. Ossuary.   Frag-
ments.
Clay, kilning. Modelling.
Red engobe.
56 × 50 × 30.
Female statue (head and
arms lost) in a long pleated
dress, sitting on a box. In
the left-hand butt-end of the
box there is an aperture
19 × 16, covered with a lid.
Settlement near Djanbas-
kala. 1st–2nd cc. A. D.
SMHEP, 726, III.
Lit.: Rapoport, 1971, p. 64,
Fig. 23.

352. Оссуарий. Фрагмент.
Глина, обжиг. Лепка, оттиск в матрице. Светлый ангоб.
25 × 18.
Уплощенная, типа маски голова мужчины с бородой в островерхом головном уборе.
Окрестности Койкрылганкалы. IV—III вв. до н. э.
ГМИНВ, 7259, III.
Лит.: Рапопорт, 1971, с. 45, рис. 7.

352. Ossuary. Fragment.
Clay, kilning. Modelling, stamping in a die. Light engobe.
25 × 18.
Mask-like flat male head with a beard wearing a peaked headdress.
Environs of Koikrylgankala. 4th—3rd cc. B. C.
SMHEP, 7259, III.
Lit.: Rapoport, 1971, p. 45, Fig. 7.

352

353. Оссуарий.
Глина, обжиг. Формовка на гончарном круге. Лепка. Красный ангоб.
85 × 35.
Основанием оссуария служит сосуд, трактованный как кресло. Верхняя часть отделена от нижней срезом по сырой глине. На кресле – фигура сидящего бородатого мужчины в кафтане. На голове – массивная диадема с лопастями в виде ушей животного.
Усадьба в окрестностях Койкрылганкалы, IV в. до н. э.
ГМИНВ, 7262, III.
Лит.: Рапопорт, 1971, с. 40, рис. 4.

353. Ossuary.
Clay, kilning. Moulding on the potter's wheel. Modelling. Red engobe.
85 × 35.
The base of the ossuary is a vessel interpreted as an armchair. The upper part is divided from the lower one by a cut on damp clay. In the armchair is a statuette of a seated man with a beard wearing a tunic. On his head is a massive diadem consisting of blades shaped like animal ears.
Country house in the environs of Koikrylgankala. 4th c. B. C.
SMHEP, 7262, III.
Lit.: Rapoport, 1971, p. 40, Fig. 4.

353

СОДЕРЖАНИЕ

CONTENTS

КУЛЬТУРА И ИСКУССТВО ДРЕВНЕГО УЗБЕКИ-
СТАНА

Каталог выставки. Книга 1.

На рус. и англ. яз.

Научный редактор   **В. К. ВЕРЕМЕЮК**

Издательский редактор   **Л. С. АРАКЕЛОВА**

Художественный редактор   **Д. И. МАРТЫНОВ**

Технический редактор   **О. Г. ПОЖОГИНА**

Корректоры   **Л. Н. РАХМАНОВА,
                  М. Р. САИДМУХАМЕДОВА**

CULTURE AND ART OF ANCIENT UZBEKISTAN

Exhibition catalogue. Volume 1.

In Russian and English.